Université des Sciences et de la Haute-Théologie Philosophique (Ntu-Mei) de Karnak-Thèbes :

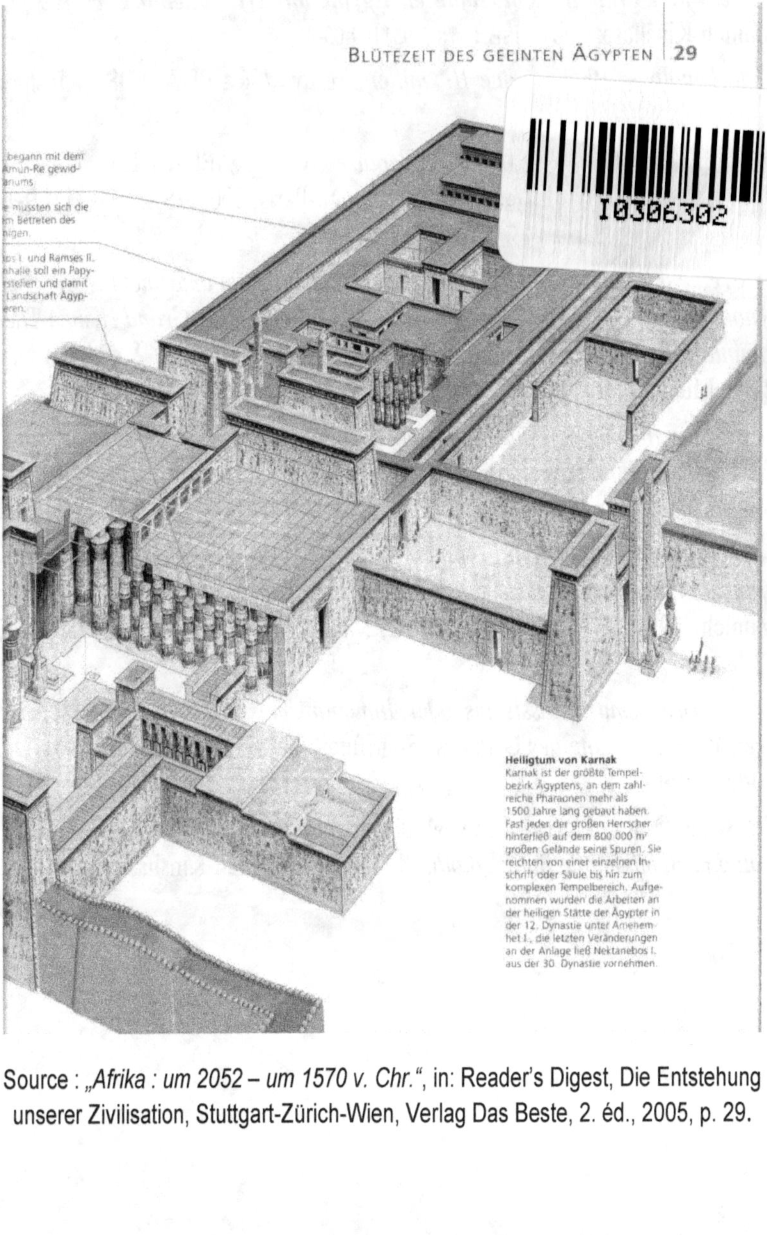

Blütezeit des geeinten Ägypten | 29

begann mit dem
Amun-Re gewid-
ariums.

e mussten sich die
m Betreten des
igen.

os I. und Ramses II.
halle soll ein Papy-
stellen und damit
Landschaft Ägyp-
eren.

Heiligtum von Karnak
Karnak ist der größte Tempelbezirk Ägyptens, an dem zahlreiche Pharaonen mehr als 1500 Jahre lang gebaut haben. Fast jeder der großen Herrscher hinterließ auf dem 800 000 m² großen Gelände seine Spuren. Sie reichten von einer einzelnen Inschrift oder Säule bis hin zum komplexen Tempelbereich. Aufgenommen wurden die Arbeiten an der heiligen Stätte der Ägypter in der 12. Dynastie unter Amenemhet I., die letzten Veränderungen an der Anlage ließ Nektanebos I. aus der 30. Dynastie vornehmen.

Source : *„Afrika : um 2052 – um 1570 v. Chr.“*, in: Reader's Digest, Die Entstehung unserer Zivilisation, Stuttgart-Zürich-Wien, Verlag Das Beste, 2. éd., 2005, p. 29.

Du même auteur :

Percées de l'Éthique Écologique en Égypte du -IIIe millénaire, PUA-AUS., Munich-Kinshasa, 2007. ISBN 978-3-931169-03-9

Méta-Ontologie Pharaonique IIIe millénaire av. J.-C., PUA-AUS., Kinshasa-Munich, 2007.

Métaphysique Pharaonique IIIe millénaire av. J.-C., PUA-AUS., Kinshasa-Munich 1995; 2ème éd., MENAIBUC, Munich-Paris, 2003. ISBN 3-931169-14-6 et ISBN 2-911372-32-8

Le Créateur et la Création dans la Pensée memphite et amarnienne. Approche synoptique du Document Philosophique de Memphis et du Grand Hymne Théologique d'Echnaton, PUA-AUS., Kinshasa-Munich 1988; 2ème éd., MENAI-BUC, Munich-Paris, 2004. ISBN 2-911372-34-4

Les cosmo-théologies philosophiques d'Héliopolis et d'Hermopolis. Essai de thématisation et de systématisation, PUA-AUS., Kinshasa-Munich, 1987; 2ème éd., MENAIBUC, Munich-Paris, 2004. ISBN 2-911372-33-6

Les cosmo-théologies philosophiques de l'Égypte Antique. Problématique, prémisses herméneutiques et problèmes majeurs, PUA-AUS., Kinshasa-Munich, 1986; 2ème éd., MENAIBUC, Munich-Paris, 2004. ISBN 2-911372-32-8

Rechtsextremismus: Rassismus oder Inhumanismus. Zur Kritik der begrifflichen Verharmlosung des Grauens (Schriftenreihe zur Friedenskunde 10), Düsseldorf, 1993.

KABONGO, K. E. & BILOLO, M., *Conception Bantu de l'Autorité.* Suivie de *Baluba : Bumfumu ne Bulongolodi,* PUA-AUS., Munich-Kinshasa, 1994.

ACADEMY OF AFRICAN THOUGHT
&
AFRICAN INSTITUTE FOR FUTURE STUDIES
Section I, Vol. 8

DR MUBABINGE BILOLO
Diop-Center for Egyptology / INADEP- Kinshasa

FONDEMENTS THÉBAINS DE LA PHILOSOPHIE DE PLOTIN L'ÉGYPTIEN

PUBLICATIONS UNIVERSITAIRES AFRICAINES
AFRICAN UNIVERSITY STUDIES
MUNICH-FREISING-KINSHASA

CIP - Titelaufnahme der Deutschen Bibliothek

Bilolo, Mubabinge:

Fondements Thébains de la Philosophie de Plotin l'Égyptien

(Academy of African Thought & African Institute for Future Studies – Dept.: C.A.Diop-Center for Egyptology; Sect. I, Vol. 8)

Munich, Freising, Kinshasa: African University Studies, 2007

ISBN 978-3-931169-00-5

Typeset at AUS-PUA, Germany

Printed in Germany bei BoD GmbH, 22848 Norderstedt

ISBN 978-3-931169-00-5

TABLE DES MATIÈRES

TABLE DES MATIÈRES 5

AVANT-PROPOS 7

PROLÉGOMÈNES 17

§ 11. Pensée de l'Un comme Substrat Philosophique Africain 17
§ 12. Problématique de Racines de l'Un Plotinien 34
§ 13. Témoignage antique sur l'Origine de l'Hénologie de Plotin 36

II. THÈSES PLOTINIENNES : LEURS FONDEMENTS THÉBAINS 53

§ 20. Thèses „méridionales ou sudistes“, alias „orientales“ 53
§ 21. Thèse de la Primordialité absolue de l'„Un Suprême“
(p3wtj tpj, ḫpr m-ḥ3t) 56
§ 22. Thèse de la Transcendance absolue du Premier-Principe
(ḥrj tp jrt.n.f nbt) 61
§ 23. Thèse de l'Un comme celui qui a „l'être par lui-même“
(*Ḫpr sw ds.f*), comme „Maître de son être“ 68
§ 24. Thèse de l'Un comme „Origine“ de tout (*š3ʿ-wnnt / -ḫpr*) 75
§ 25. Thèse de l'„infinité“ de l'Un (*ñn drw.f / wr-wrw*) 80
§ 26. Thèse de l'incogniscibilité et de l'ineffabilité de l'Un
(*Imn / jwtj rh.f*) 90
§ 27. Thèse de l'immanence et de l'omniprésence de l'Un
(*mn <m> jht nbt*) 97
§ 28. Thèse du passage de l'Un au Multiple comme un
„proodos“ (prj m / tnj m hhw) 102
§ 29. Thèse de la „différence“ entre l'Un et l'Être
(*tnj r [wnnt nbt] / tnjw ḫprj]*) 112

§ 210. La thèse de l'Un comme „Vivant“ et „Pensant“ (*b3-ᶜnḫ*) 116
§ 211. Thèse de l'aspiration de l'âme vers la „vision“ de et l'„union“ avec Dieu ou l'Un (*jb r m33-<f>*) 118

III. NÉO-PLATONISME : MASQUE DU NÉO-THÉBANISME 123

§ 31. Plotin : Monument de Néo-Thébanisme 123
§ 32. Origine Égyptienne de la Pensée de l'Un selon Jamblique 127
§ 33. Hommage de Frenkian à la Philosophie Égyptienne 131
§ 34. Appel aux Universités Occidentologiques Africaines 134
§ 35. Notre apport historique 136

IV. BIBLIOGRAPHIE 140

AVANT-PROPOS

a) En hommage au Prof. Dr. W. Barta

Ces prolégomènes sur *Plotin l'Égyptien et Thèbes* ont été partiellement publiés en 1995 dans un ouvrage collectif *Gedenkschrift für Winfried Barta*[1], en hommage à l'ancien directeur de l'Institut d'Égyptologie de l'Université de Munich. „b »

La version publiée dans *Gedenkschrift für Winfried Barta* portait le titre: *La Notion de „l'Un" dans les Ennéades de Plotin et dans les Hymnes thébains. Contribution à l'Étude des sources égyptiennes du néoplatonisme*[2]. Elle représentait, elle aussi, une version abrégée d'un chapitre de notre travail d'habilitation de plus de 828 pages (encore inédite), datant de 1992, sur la Philosophie Thébaine. Ce travail portait le titre: *„L'Un devient-il Multiple? Approche pragmatique des formules relatives à „L'Un 'comme Multiple'" ou à l''Auto-différenciation' de l'Un dans les Hymnes Thébains du Nouvel Empire*"[3].

1 Cf. D. KESSLER & R. SCHULTZ (Hrsg.), Gedenkschrift für Winfried Barta. *Http dj n Hzj*, (Münchner Ägyptologische Untersuchungen, Bd. 4), Frankfurt am Main, 1995.

2 M. BILOLO, La Notion de „l'Un" dans les Ennéades de Plotin et dans les Hymnes thébains. Contribution à l'Étude des sources égyptiennes du néoplatonisme, in: D. KESSLER & R. SCHULTZ (Hrsg.), Gedenkschrift für Winfried Barta. *Http dj n Hzj*, pp. 67-91.

3 M. BILOLO, L'Un devient-il Multiple? Approche pragmatique des formules relatives à „L'Un 'comme Multiple'" ou à l' 'Auto-différenciation' de l'Un dans les Hymnes Thébains du Nouvel Empire, Travail d'Habilitation pour l'enseignement de la Philosophie, Université de Zürich, 1992, 828 pages. Ce travail a déclenché la guerre des races, des religions et des cultures, de plus de cinq ans.

Le titre de la Section I : „*Prélude et Tremplins Philosophiques*“ et celui du premier chapitre de cette section : „*Prélude : Pensée thébaine et Néo-platonisme*“ soulignent que le „*problème de la doctrine plotinienne de l'Un*“ sert, au même titre que les données sur „*La théologie amonienne selon Plutarque et Jamblique*“, de prélude, d'introduction à l'étude de la Pensée Thébaine.

Au moment où l'Institut d'Égyptologie de Munich nous avait demandé de contribuer aux *Mélanges Prof. Barta,* les éditeurs -notre collègue Dr. Régine Schulz, actuellement Professeur aux USA, et Prof. Dr. Dieter Kessler, actuellement Doyen de la Faculté de Philosophie pour les Études de l'Antiquité et pour les Sciences de la Culture („Philosophische Fakultät für Altertumskunde und Kulturwissenschaften“) à l'Université de Munich, ne savaient pas que nous venions de lui rendre hommage dans un travail scientifiquement imposant.

Ainsi, on pouvait lire dans la *Dédicace* (de novembre 1992):

> „La plupart des personnes qui nous ont soutenu moralement, scientifiquement ou matériellement sont mortes au cours de ces trois dernières années. Nous songeons plus particulièrement ... à notre cher Prof. Dr. W. Barta, de l'Institut d'Égyptologie de Munich (+ Octobre 1992)“.

Barta nous avait non seulement introduit à l'étude de *Ci-Kame* (=la langue pharaonique en langues Bantu) du Moyen-Empire[4] et de

[4] L'initiation à la version de ciKame du Nouvel-Empire, de l'Ancien-Empire et à la Topographie était faite par le Prof. D. Kessler. Le Prof. Wildung s'occupait à l'époque de l'Histoire de l'Art Égyptien, de la Préhistoire ainsi que de nouvelles

l'Histoire politico-culturelle de l'Égypte antique, mais il avait surtout attiré notre attention sur les perspectives de recherche en égyptologie, pour un chercheur africain, ayant eu au préalable une solide formation en Philosophie, en Théologie et Religions Africaines. Il voulait et il s'attendait à ce que nous puissions ouvrir de nouvelles perspectives de lecture de textes égyptiens, en y apportant l'esprit africain et la profondeur philosophique.

L'agréable atmosphère de travail et de recherche instaurée par cet illustre disparu et par son équipe de l'époque, composée de Prof. D. Wildung, Prof. D. Kessler et de feu Prof. Aßfalg, appuyé par la suite par l'éminent exégète Prof. Dr. M. Görg, a beaucoup contribué à la poursuite de nos recherches dans ce domaine. Il était et il est normal que nous lui rendions un hommage philosophique.

b) Remerciements

Nous réitérons nos remerciements à nos collègues Prof. Dr. Katwambi Kapinga de l'Université du Kasayi à Kananga, Prof. Dr. Regine Schulz, Dr. Martina Ullmann et Dr. Véronique Berteaux de l'Institut d'Égyptologie de Munich pour les corrections apportées jadis à une partie de cet essai, publiée dans les Mélanges Prof. Barta.

Nous remercions également les collègues Dr. Kalamba Nsapo de l'Académie de la Pensée Africaine, J.-C. Gomez de l'*Association Internationale Africaine d'Études Égyptiennes et Nubiennes,* le Prof. Dr. Duala M'Bedy, père de la xénologie, le Prof. Dr. Werner

découvertes archéologiques dans la Vallée du Nil (Égypte-Soudan). Ils avaient aussi d'autres cours, mais nous citons des disciplines que nous avions suivies.

Beierwaltes, de la Faculté de Philosophie de l'Université de Munich, éditeur-traducteur de Plotin, pour leurs remarques et leurs encouragements.

Nous avons aussi tenu compte des conseils du Prof. Dr. Erik Hornung, lors de notre rencontre au Séminaire d'Égyptologie de l'Université de Bâle en 1992, sur l'importance de l'Édition des *Hymnes et des Prières Thébains* du Nouvel Empire par Barucq et Daumas. Nous lui disons merci.

Faudrait-il remercier Son Excellence l'Archevêque Kabongo Kanundowi, ancien diplomate du Vatican en Corée et au Brésil, ancien secrétaire particulier de Jean-Paul II et actuellement chanoine de la Basilique St Pierre de Rome et Prof. Dr. Bimwenyi-Kweshi pour les échanges enrichissants sur les catégories égypto-luba de *Sha-Ntu* et de *nNina-Ntu ?* La question veut dire que les échanges continuent et que ces deux savants demeurent compagnons de route.

Nous avons une dette envers nos collègues Prof. Dr. Mabika Nkata, ancien Doyen de la Faculté de Philosophie et Lettres de l'Université de Lubumbashi au Congo, et le Prof. Dr. Biyogo, de la Faculté de Philosophie de l'Université de Libreville au Gabon.

Le Prof. Dr. Mabika nous a agréablement surpris par l'introduction du cours de „Philosophie et Métaphysique Pharaoniques" à l'Université de Lubumbashi. Le dialogue philosophique amorcé dans son ouvrage „*La Mystification Fondamentale. Merut ne Maât. Aux sources négrides de la philosophie*"[5] nous a permis de revenir à

[5] Cf. J. MABIKA-NKATA, La Mystification Fondamentale. Merut ne Maât. Aux Sources Négrides de la Philosophie, Presses Universitaires de Lubumbashi, Lubumbashi, 2002.

la problématique de conditions de possibilité de ce qui est et de ce qui n'est pas encore.

Le Prof. Dr. Biyogo a introduit le cours de Philosophie Égyptienne à l'Université Omar Bongo de Libreville et il prolonge la critique philosophique de l'herméneutique dévalorisante dans ses publications sur les „*Sources Égyptiennes du Savoir*"[6]. Il a aussi contribué au même titre que nos collègues Prof. Dr. Kabasele Lumbala, Prof. Dr. Dr. Onzankom, Dr. Dr. Mabe du Caméroun, Dr. Panu wa Mawesha, Dr. Mufuta Bitupu et Dr. Mukoma Kambuyi au choix du titre définitif pour cet essai.

N'oublions pas le Prof. Dr Jan Assmann, l'auteur de la Collection-Édition critique des *Hymnes Thébains du Nouvel Empire et de la Période Raméssside,* pour nos échanges. Il ne cesse de rappeler au cours de ses nombreuses publications ou de ses cours et conférences, l'impact de l'Égypte sur le Devenir de la Pensée Occidentale.

Nous avons étudié pour la première fois Plotin au Philosophicum de Kabwe[7] en 1973-1974 chez le Prof. Mukenge Bantu, actuellement à l'Université de Kananga, aux Facultés Catholiques de Kinshasa chez quatre Professeurs : Prof. Dr. Smet, Prof. Dr. Matukanga, Prof. Dr. Vansina (Gand et Leuven), Prof. Dr. Ladrière (Louvain) et Prof. Dr. Mutuza Kabe (1975-1978). Nous avons poursuivi la formation de Plotin à Munich chez plusieurs Professeurs de la Faculté de Philosophie des Jésuites et à la Faculté de Philosophie de l'Université de Munich (1980-1985). Tous les cours de 1973 à 1985 étaient identiques. C'était un Catéchisme Universel sur Plotin que tout le

6 Cf. G. BIYOGO, Aux Sources Égyptiennes du Savoir, 2 tomes, Paris, 1998.

7 Les enfants nés en 1973 ont maintenant 34 ans.

monde répétait avec beaucoup de rhétorique pour créér l'illusion de „la lecture originale". Nous avons eu l'occasion de discuter avec l'éminent Prof. Beierwaltes, spécialiste allemand de „Plotin le Grec", sur notre „Plotin l'Égyptien". C'est de lui que nous avons emprunté l'expression *Das Denken des Einen* (La Pensée de l'Un)[8]. Merci à tous ces maîtres de „Plotin le Grec". Ils nous ont permis de découvrir la Place de la Philosophie Africaine dans la Mutation génotypique de la Pensée Occidentale.

Les mauvaises langues pensaient que les Hymnes Thébains étaient une invention de Jan Assmann, mais ils étaient surpris de voir que ces Hymnes étaient déjà publiés et étudiés par les auteurs comme Maspero, Grébeaut, Pierret, etc. depuis plus d'un siècle.

c) Voix de la Martinique et de la Guadeloupe

„Plotin l'Égyptien et la Philosophie Thébaine de l'Un" a fait, depuis 1990, l'objet de plusieurs conférences, cours et discussions en Europe, en Afrique et dans les Caraïbes. Ce thème a suscité l'intérêt de beaucoup de jeunes philosophes et théologiens pour l'étude de la Méta-Ontologie, de la Métaphysique et de l'École Égyptienne de Rakota (alias Alexandrie).

Nous devons avouer que nous étions fasciné par l'intérêt réservé par les populations des Caraïbes de toutes les couches et de différents niveaux de formation à la problématique de l'Un et au thème de la „méta-ontologie" ou de la „propulsion de l'Être" (*Tem-a-Ntu* et

[8] C'était le titre de son livre publié en 1985. Voir BEIERWALTES, W., Denken des Einen. Studien zum Neuplatonismus und dessen Wirkungsgeschichte, Frankfurt, 1985.

Tum-a-Ntu)[9] que nous croyions être des thèmes de professionnels de la Pensée de l'Un.

Cette expérience faite entre 1999-2005 dans les Caraïbes nous a rappelé la réaction des étudiant(e)s de l'Université Protestante du Congo, de l'Université S. Kimbangu, de l'Institut Africain des Sciences de la Mission de Kinshasa, de l'Institut Supérieur de Théologie Jean XXIII de Kinshasa, à la suite des conférences données entre 1990-1991 sur la Problématique de l'Un et des Multiples en Égypte Pharaonique. Ils se sentaient introduits par Plotin et par les philosophes Thébains du Nouvel Empire au cœur de la Pensée Bantu.

Cet intérêt nous prouve une fois de plus que la soi-disant „haute métaphysique", „haute philosophie" ou „haute théologie" de l'Occident est, en réalité, une synthèse des Banalités Philosophico-Théologiques Négro-Africaines. Nous prenons ici le terme „banalité" non pas au sens de „sans importance", mais plutôt dans celui de l'évidence culturelle, des hautes conceptions devenues populaires dans une culture donnée.

L'ordre de publication a été donné par les Associations Culturelles de la Martinique et de la Guadeloupe qui avaient remarqué l'écart de plus en plus grandissant entre nos publications en circulation, datant de 1984-1994, et nos thèses actuelles restées pour la plupart inaccessibles.

[9] Rappelons que ces expressions sont en Luba, notre langue maternelle, qui semble être par hasard une des versions vivantes de ciKame, dit ancien égyptien. Le Luba semble être curieusement plus proche de l'ancien égyptien que le Copte.

L'expérience de Martinique et de la Guadeloupe est unique, car les salles sont remplies par les mamans, les papa et leurs enfants de la Maternelle jusqu'à l'Université. Quand une famille nous dit que nous ne connaissons pas nos découvertes et que nous ne pouvons pas les apprécier nous-même, car ces découvertes sont dans les détails, voire dans les notes infrapaginales, nous commençons à avoir peur[10].

Le Prof. Dr. Alain Anselin de l'Université des Antilles Guyane, notre ami Jean-Charles Gomez de Paris ainsi que nos amis de la Revue *Ankh*, de l'Institut Khepera et de l'Institut Africamaât de Paris, avaient veillé pour que la politologie et la politique ne l'emportent pas sur la Pensée de l'Un.

Nous avons compris qu'un chercheur ne s'appartient pas. Il n'appartient pas à l'Institution qui l'a engagé. Il a des comptes à rendre à tout le monde qui attend les résultats de ses recherches. Il est comme un chasseur qu'on attend à l'entrée de la cour, voire du village pour donner des rapports.

Il n'est pas facile pour nous de nous occuper de l'Un et des multiples, de l'Un comme Multiple, lorsque des enfants et leurs mamans sont violés et massacrés jour et nuit par la semence de Typhon et par certains politiciens, généraux et soldats corrompus. Ils souffrent et meurent pendant que les crocodiles d'outre-mer et leurs complices, délinquants nationaux, puisent le pétrole, le diamant, l'or, le cobalt, le coltan, le cuivre, l'uranium, etc. de leurs villages.

[10] La peur vient du fait que nous y ignorons „ce que les autres découvrent".

Nos recherches sur la Pensée de l'Un nous révèlent cependant que la négligence de la philosophie de différents rapports entre l'Un et les Multiples est à l'origine de génocides, de théocides et du pillage qui caractérisent le monde actuel.

c) Plan de cette étude

Cette brochure inaugure une série de publications sur Plotin, Jamblique, Plutarque et sur les autres auteurs grecs. Le travail sur Plotin comprennait au départ plus de 300 pages, mais nous avons préféré séparer la mise en lumière des fondements thébains de presque toutes les thèses majeures de Plotin de la critique des Prémisses historiographiques d'Études Plotiniennes et du débat sur sa nationalité.

La brochure comprend deux sections.
La première section, relativement courte, est intitulée „*Prolégomènes*". Elle aborde les questions relatives à la méthode, aux sources, au témoignage de Jamblique, à la précompréhension philosophico-culturelle, à la justification du choix de l'École Thébaine ainsi que de celle de thèses plotiniennes retenues.

La deuxième section aborde l'essentiel de notre illustration. Elle est intitulée : „*Thèses plotiniennes et leurs fondements thébains*". Elle examine 11 thèses plotiniennes sur l'Un en montrant parallèlement leurs fondements thébains, c'est-à-dire des thèses thébaines correspondantes. L'École Philosophique Thébaine s'étendant sur une durée de presque 2000 ans, a développé beaucoup plus de thèses sur l'Un qu'un individu pris isolément. C'est pourquoi nous partirons de Plotin vers Thèbes et non l'inverse.

L'essai se clôture par quelques *Remarques finales* qui nous rappellent le témoignage de Jamblique ainsi que le jugement d'Aram Frenkian.

Une bibliographie sélective permet au lecteur intéressé de poursuivre le chemin de la recherche.

Il est très difficile de corriger les textes français à partir de l'Allemagne, mais nous pensons que le contenu est plus important que l'orthographe.

I
PROLÉGOMÈNES

§ 11. Pensée de l'Un comme Substrat Philosophique Africain

De façon intuitive, les grands philosophes et égyptologues des années 1950-1960 avaient compris que la Hiérarchie des êtres ou des forces, évoquée dans la Philosophie *Ntu* ou dans la Théologie BaNtu, était une des clefs de compréhension non seulement de la Pensée ba-Ntu mais aussi de la Pensée Pharaonique ainsi que de celle du reste de l'Afrique. La différence que nous venons d'établir entre la Philosophie Ntu et la Philosophie Pharaonique n'est pas très critique. Car le terme *Ntu, Untu* dans ses différentes ses variantes *onto, nti, unt,* etc. est commun à la langue égyptienne et à la Famille Linguistique *Ntu.*

Malheureusement, ce thème de la Hiérarchie et de l'Interaction des êtres dont la puissance diminue, s'affermit ou augmente selon qu'on s'éloigne ou qu'on se rapproche de la Source, n'a pas encore été suffisamment exploité par les historiens de la philosophie. L'être est un phénomène d'intensité variable qui ne peut s'épanouir ou accroître qu'en s'approchant de sa source, de *Sha-ntu* „Père de l'Être" ou de *Nin-a-Ntu* „Mère de l'Être". Il est possible que la misère de l'enseignement philosophique universitaire en ce qui concerne la Philosophie et les philosophes du 1er au 4ème siècle de notre ère soit à la base de cette situation.

La Pensée de l'Un (*-Wa, -We > u-m-Wa*[1]), l'émanation (*Lopoka*, < *rpḫ <ḫpr?; di-Lopoka < ḫpr.t* ; *Lopola < r-prw* ; *di-Lupula< prwt ; di-Patula < t-ptr < ptr-t*), la descente (*Pwekela < pḫr*, *di-Pweka* < r-*pḫ <pḫ-r*) et la montée (*banda < bd* ; *Ba + Nda* < Ba+n+ya < *B3+iy = iya-Kulu, ya-m-Ulu < iy-ḥrw ; iy-m-wr ; iy-m-ḥr*) dans la Hiérarchie des êtres et des puissances, sont des thèmes majeurs de la Pensée Africaine. Ils font partie du Substrat Philosophique Africain. Il est possible que ce Substrat soit Pré-Pharaonique. Plotin, quelle que soit la couleur de sa peau, est le produit de cet univers africain.

Nous pouvons faire une approche synoptique de Plotin et de la Théologie Philosophique Bantu. Nous pouvons la faire aussi pour la Philosophie Thébaine et la Philosophie Luba. Car ce que Jamblique et Plutarque disent de la Philosophie Égyptienne de l'Un vaut largement pour la Philosophie BaNtu. Soit dit en passant, Ba *Ntu* ou *Wa Ntu* veut dire „Ceux de *Ntw*", „De *Ntu*", „Von *Ntw*", c'est-à-dire „la semence de l'Être", „la descendance de 'Je suis'".

a) Extraits de la Bible Noire : Hénologie Luba

Contentons-nous, à titre d'illustration, de quelques extraits de l'Enseignement Philosophique de la Société Secrète Luba *Nkwembe*, que deux initiés belges ont mis par écrit sous le titre ***Une Bible Noire***[2]. L'Enseignement de Nkwembe a été contrôlé en ciLuba par Mabika Kalanda auprès de grands-maîtres de Sociétés „secrètes" Luba sous le titre ***Tiakani** ou **Ciakani:*** Nous avions aussi fait ce travail de vérification entre 1973-1974 à Kabwe auprès de

[1] Littérallement : „qui-est-dans l'Un". En Luba, on n'est pas *Un* (*Wa*), on est dans toujours „dans l'Un" (*im-We/ im-Wa*), en ciKame alias Égyptien: *ỉm-Wꜥ*.

[2] FOURCHE, T. et MORLIGHEM, H., *Une Bible Noire*, Bruxelles, 1973.

notre cousin Kasende Mukole mwena Cibondo wa Cinema wa Kabiye, Chef de Bena-Cibondo, et de notre oncle maternelle Lumpungu mukwa Musau wa Cinema wa Kabiye ka nKole, Chef de Bena Lumpungu. Leurs informations ont été completées par Mwimpe Kaluka Nyunyi wa ba Djenda wa Bilolo, autour du feu de la vie (*CiOta cia Moyo*), de la calebasse de caolin (*CiLowa cia luPemba*), dans la Cour du bien et de la vérité (*Lubanza lwa Meyi maKulu ne Bwimpe*)[3].

Tous les extraits reproduits ici viennent de la ***Une Bible Noire*** **:**

> „Au commencement de Toutes les Choses, l'Esprit Aîné, Maweja Nangila, le premier, l'aîné et le grand seigneur de tous les Esprits qui apparurent par la suite, **se manifesta, seul, et de par soi-même**. Puis, et d'abord, il créa les Esprits. Il les créa, non pas à la façon dont il créa les autres choses, **mais par une métamorphose de sa propre personne**, en la divisant magiquement, et sans qu'il en perde rien"[4].

Ce texte Luba est manifestement un extrait, une récitation des Hymnes Thébains. Une personne interessée peut s'en servir pour illustrer la vitalité de thèses théologiques thébaines dans la Théologie Bantu-Luba. Mais pour ces Prolégomènes, ce qui nous intéresse, ce sont les extraits de l'Hénologie Luba et non la comparaison avec Plotin ou avec les Penseurs thébains.

Parlant des étapes de l'auto-transformation ou de la métamorphose de *Sha-Ntu* „Commencement de l'Être" ou „Père de l'Être, de Ce

3 Notre conception de la Philosophie, *nKindi*, vient de ses grands-maîtres Luba et non d'une Faculté Occidentale de Philo~~sophie~~.

4 T. FOURCHE et H. MORLIGHEM, *Une Bible Noire*, p. 9.

qui est“, les Luba enseignent qu'il s'est d'abord transformé en Trois ou que de l'Un a émané en premier lieu Deux esprits du second rang. Ces deux forment avec l'Un, une sorte de Trinité:

> „C'est ainsi qu'il a créé une multitude d'Esprits, et l'on dit qu'il en crée encore de même, de nos jours. Maweja Nangila **se métamorphose d'abord en trois personnes**, créant ainsi deux autres esprits Seigneurs, de second rang, à ses côtés“[5].

> „Dans le principe, alors que Maweja Nangila était encore seul, **tout était Un,** entier comme l'est un œuf, entier comme l'est une calebasse“[6].

> „Le deuxième Esprit Seigneur fut créé en premier lieu ... **Il émana**, dit-on, **d'Un Seul**“[7].

Cet acte d'auto-transformation n'entame en rien l'unité ou l'unicité de l'Un. La multiplicité procède de lui sans qu'il perde quelque chose de son être. Il s'agit d'une ***„métamorphose de sa propre personne,*** en la divisant magiquement, ***et sans qu'il en perde rien*** “.

Le terme rendu par métamorphose s'appelle en Luba : *DyAlu.* La phrase „Maweja Nangila était encore seul, ***tout était Un,*** entier comme l'est un œuf, entier comme l'est une calebasse“[8], nous rappelle une métaphore chérie d'Erik Hornung : „Nußschale des

[5] T. FOURCHE et H. MORLIGHEM, *Une Bible Noire*, p. 9. Mis en évidence (écriture cursive) par nous.

[6] T. FOURCHE et H. MORLIGHEM, Une Bible Noire, p. 13. Mis en évidence (écriture cursive) par nous.

[7] T. FOURCHE et H. MORLIGHEM, Une Bible Noire, p. 13. Mis en évidence (écriture cursive) par nous.

[8] T. FOURCHE et H. MORLIGHEM, Une Bible Noire, p. 13. Mis en évidence (écriture cursive) par nous.

Seins“[9] (= „Coquille du Noix de l’Être“), en Luba : *Musa-a-Ntu* ou *CiZubu-cia-Musa-wa-Ntu.* Nous exploitons cette expression dans notre étude sur l’*Éthique Écologique* ou sur *Ntu-Mei / Ontomei*[10].

b) L’Un et les multiples : Concepts majeurs en Bantu-Luba

Étant Africain, il est absolument indispensable d’exprimer dans la sa langue maternelle son objet d’étude. À supposer que les gens de Kabwe, notre village natal, nous demande de lire en Luba le titre de cette brochure, quelle serait notre réponse :

- *Ntaku ya mu DiBanza (w3st*[11]*) ya Nkindi wa Plotinu Mwe-na-buKam*

9 E.HORNUNG, Der Eine und die Vielen. Ägyptische Gottesvorstellungen, Darmstadt, 1971, 2ème éd. 1973, p. 191; id., La Philosophie avant les Grecs, in Les Études Philosophiques, 2-3 (1987), p. 113-125.

10 Cette expression vient de **Ntu-Maâ, Ntu-Maât**. Maât est devenu en Luba **Mei**, **Meyi** et en Copte ⲙⲉⲓ, ⲙⲉⲩⲓ. Ntu-mei sont les Normes fondamentales qui régissent une juste, correcte et solidaire co-existence entre les différentes espèces d’êtres au sein de *Mus-a-Ntu.*

11 **W3s.t** „Thèbes“ udi mu miaku eyi : *diBansa, diBanza* „Le fait d’être bien installé, riche et heureux“, *diBonza, BuBanzi* „Bien-être, autonomie, richesse“ ; *diS-wibwa* „Le fait d’être aimé et aimable“, *Badiswa* „Qui s’aiment“; *Dyesa, Dyse* „Bonheur, Bien-être, Chance , prospérité, succès», *Dyswa, Dyasa* „Résidence, Installation , Construction», etc. Selon nos recherches en linguistique, le 3 n’est pas toujours A ou E, mais il est d’abord un Ka, Ke voire Ko. L’oiseau en question s’appelle mu-KAnKU. Donc au lieu de 3s, on peut dire *K3s, Kes, Kos.* De là la traduction-transliteration de *W3s.t* par : diKese „bonheur“, *diKobesh* „faire recourber“, *CiKawa / ciKowa* „gourdin“. En se limitant à *w3s*, on a *wesh, weza,* voire *nSambi, maWesha.* Signalons que le ciLuba de l’Est garde **W** et celui de l’Ouest le remplace au début du mot par B au pluriel et M au singulier : *Wasa > Baasa > Banza>Banzi, Wswa > Baswa* ou *Buswa.* Ces variantes se retrouvent aussi dans : *ciKawa/ ciKowa* „gourdin, canne“ , *diKoba* „gourdin-crochet, serre“ ainsi que dans *diKomBu* „Canne d’autorité“, etc. *W3s.t* est symbolisé par *diKobesha, ciBongesha, diBongesha* = „sceptre“ (*diKoba, di Kombu, ciBong*) recourbé (*kobame*).

- *MiShi ya mu Dyesa ya Nkindi wa Plotinu Mwena-buKam*
- *Dilwila mu DiKese ya Ngenyi ya Plotinu Mwen-a-Kam*
- *Shinda-menu mu Dia-buBanshi wa Nkindi wa Plotinu wa baKam.*

Ce titre est vague, car notre but n'est pas d'examiner toute la philosophie (*nKindi*) ou toutes les pensées (*ngenyi, meeji-mela, ngenyi-minana*) de Plotin l'Égyptien, mais plutôt de présenter les Fondements Thébains des thèses principales de sa Conception de l'Un.

Un tire plus précis pour un Luba serait :

- *Shinda-menu mu Dia-buBanzi*[12] *wa DiLongesha dia Um-Wa mu mBedi dia Plotinu mwena-buKam.*
- *Shinda-menu mu Dia-Banza wa DiLongesha*[13] *dia Bu-m-Wa bwa mBedi dia Plotinu mwena-buKam.*

Les concepts majeurs sont :

a) Origine, Base, Fondement, Source: *Sha / Maw / Nina*

Sha-Ntu / Sha-Untu	Père-/Origine-/Base-/Commencement-de l'Être ou de 'Qui est'.
Nina-Ntu / Nyna-Untu	Mère de l'Être ou de 'Qui est'
Maw-Ntu/-Untu> MaNtu	Mère de l'Être

12 Thèbes est *diMenga-dia-Babanzi* ou *diTunga-dia-BuBanzi* „Ville-/Pays-du-Bien-Être, -de Fortune", mais aussi des „Hauts-Dignitaires" (*baBanzi*), „Porteurs de Titre, du sceptre de pouvoir" (*Ba-miAsu / Ba-miAnzu* ; sing. *mw-Asu*). En Luba actuel, on parle de *LuBanza-lwa-buKaleng* „Cour de l'Autorité" ou *CiMamw-a-buKaleng* „La Mère de l'Autorité", source de l'Autonomie, du Bien-Être (DiBanza < *w3ś.t* ; BuBanzi < *w3ś.w*) et de Lois justes-véritables (Meyi/ Mei < *M3ʿ/M3ʿt*).

13 En transliteration : *srḫ, srḫw, srḫ.t*, voire *srwḫ*. Rappelons que **Long-** est à l'Est (Luba-Tanganyika) : **Rong-** (L<>R). Ce ***rḫ*** est aussi dans *Leng-*, *Lang-*, voire *Ling-*.

a) Un / Unique: Wa ou -Aya

ciLuba	**Transcription**	**Traduction**
Wa / Oya / Aya	*Wꜥ*	Un
m-Wa /im-We	*m-Wꜥ, im-Wꜥ*	dans Un, qui est Un, unique
bu-m-Wa		unicité, unité, mêmité
um-Wa k-Aya	*Wꜥ-ꜥw*	L'Un-unique; être-unique, Un-Solitaire
Um-Wa mu Bu-m-Wa	*Ỉm-Wꜥ m Wꜥw / ỉm-Wꜥ - Wꜥw*	Qui est Un dans l'Unicité ; Unique dans la solitude de son Unicité; Absolument Unique
ci-m-we	*Wꜥ.t*	Ce qui est Un; ce qui est unique ; singleton
di-m-wa	*m-wꜥ.t*	Premier-jour, lundi

b) Unique / Seul / Solitaire : -Aya < wꜥi :

nKa-Aya (/e)	*K3-wꜥ/ -ꜥw*	être là seul, étant-là solitaire
nKaAye	*K3-wꜥ*	qui est seul, qui est unique, qui est solitaire
		Esprit-unique, esprit-solitaire
Bu-n-Ka-Aya	*K3-n-Wꜥw* [14]	Solitude; Unicité du Ka; Solitude de l'être

[14] Peut avoir engendré *KamWa* „le petit-unique", „une seule petite chose" et *Kamwa* „moustique" ou „une petite étincelle de lumière" (=*kamuni*).

c) Multiple / Multiplicité: -Ngi /iNgi <*ḥḥw*

-nGi	multiple, nombreux, abondant, beaucoup
bu-nGi	multiplicité, le fait d'être multiple
ba-nGi	personnes multiples, nombreuses personnes
bi-inGi	nombreuses choses
Sha-ba-nGi	Père de la multitude ; Commencement de multiples
Sha-biingi	Père de multiples choses
Maa-Ngi	Mère de la multiplicité ou des affaires multiples

d) Millions : *ḥḥw*[15]>www >bwbwbw>bobobu > bombo

MbomBu (/o)	<*ḥḥw* > bbw	millions, nombreux – nombreux
Ngombu	>*ḥbw*	extrêmité, bord, perfection ; extrêmité de l'extrêmité

e) Multitude / trop nombreux : Akia

Aka / Aga[16]	<*ʿš3*	multiples, très nombreux; excessivement[17]
CiAka	<*ʿš3*[18]	multitude, en très grand nombre
Vula		devenir nombreux, devenir multiple

[15] *Ḥw* se prononce en Ba : Hu, U/W/O et PU. Ce dernier devient dans certains contextes : Bu/Bo.La règle de variantes locales Luba est: *Ḥ* <> P<>B <> E/U.

[16] Il n'est pas exclu que ce mot soit ***Ḥḥ***, car le H a plusieures variantes en Luba : *Ḥ* > A ; *Ḥ* <> P<>B ; *Ḥ* > K/G <>NG/NK. *Ḥḥ* peut ainsi se prononcer ou être translittéré en Luba comme : *Aka, Aba/Abo, Aga, Ang / Ing ; aba/abo, bangi/bingi /bungi.*

[17] Cet adjectif Luba **Aka, Aga** semble être aussi apparenté au Grec *Agan* (ἄγαν)"excessivement, trop". Nous nous demandons si *Aka/Aga* n'est pas le même mot que *Kay, Kaaya* désignant „surpasser, être trop, être excessivement".

[18] Nous avons pensé à **aš3** (*ʿš3*) à cause de la présence de deux A et aussi du fait que Š se prononce en luba *She, Č*, mais il devient parfois en Luba *ḫ, ka, ga.*

f) Emanation et Ascension

Lopoka, Lupuka	< *rpḫ* <*ḫpr*?	surgir, sortir de, se manifester
di-Lopuka	< *ḫpr.t*	émanation, proodos
di-kopola	< *ḫpr.t*[19]	Développement, dévoilement, désenveloppement, déroulement
Lopola	< *r-prw*	faire sortir, manifester
di-Lupula	< *prwt, prt r*	émanation, proodos
di-Patula	< *t-ptr* <*ptr-t*)	émanation, proodos
Pwekela	< *pḫr*	descendre, descendre pour/ vers
di-Pweka	<r-*pḫ* <*pḫ-r*)	la descente et la montée (
pongola	<*pḫr* <*ḫpr*	Soutirer, vider à l'insu de, verser par terre
di-pongola		Le fait de vider le contenu ; de faire sortir de (à l'insu de)
banda	< *bd*	monter
di-Banda	<*bd.t*	la montée, ascension
iya-Kulu	< *iy-ḥrw*	aller vers le haut, monter
iya-m-Ulu	<*iy-m-wr*	aller en haut, monter en haut
iy-am-Kulu	<*iy-m-ḥr*	monter uniquement en haut, aller seulement vers le haut

19 La transliteration ***ḫpr*** s'applique à *Kopola* = désenvelopper, développer, ouvrir en enlevant, dévoiler, détacher, délier, déchaîner et ***ḫpr.t*** à *di-kopola* = action de dévoiler, dévoilement, détachement, libération (de ce qui était enfermé). On a aussi *Ci-kopola* < ***ḫpr.t*** « Qui dévoile », « qui libère », « qui développe », etc. L'émanation, comprise comme *di-kopola* (***ḫprt***), est développement, désenveloppement, un déroulement, un processus de dévoilement.

Band a plusieurs sens :

1. „Sel de Banda“	<*nṯri*[20]= Natrium = Banda[21]
2. „Montée ; Levée“	di-Banda, muBandu
3. „Départ de Ba“[22].	Ba-nda

Le troisième sens engendre deux autres :

4. „Retour, Courbe, Rentrée“	ciBenda
5. „Autrui, de l'Autre“[23]	Bende.
6 „drapeau“	di-Bendele, di-Bandila

g) Cause, origine, source, ancêtre, dieu: *Ndelu, Ndedi <Nṯrw*

Bendele	< *nṯr.w*	Drapeau
Bandila	< *nṯry*	Monter pour ; qui s'élève pour
Ndel(a/e)	<*nṯr*	ancêtre prolifique, origine d'une espèce
Ndelu	<*ntrw*	descendants, générations, progénitures
Ndelu	<*ntrw*	cause, origine
Ndedi	<*nṯri*	cause, principe, commencement de l'existence, ancêtre
Bandedi / Bandeli	<*nṯri*	Commencement, ceux de l'origine ; primordiaux

[20] Ècrit en égyptien *Bdnṯr* = *Bndtr* >*Bnṯr*, donc mot à mot : Bendele, lwa-Banda ; di-vinda (< *Bndtr*) ; di-vindu-la, etc. En Esperanto égyptologique : *ntrw, nṯrrw*.

[21] *Bonda* = „frotter, masser, presser“; *ciBonda/ cimBonda* = compact, comprimé

[22] *Ba nda* est un mot d'ordre : *B3+iy* „Ba-partez en haut“ = ya-Ulu, iya-m-Ulu < *iy-wr, iy m ḥ*r, *ỉy-ḥrw*. Mais ce départ de Ba est un „retour“, un „aller vers l'origine“. Il est synonyme de *Ba-Ya* et de *Ba-Enda>Benda, Bende.*

[23] Pour plus d'informations : M. BILOLO, Dictionnaire ciKame – ciLuba, en préparation.

Bandile	<*ntri / ntrw*	supérieur, élevé, surélevé, éminent
CiLedi/ CinDedi	<*nṯr.t*	Cause, origine, source
Tenda / tendelelu	<*nṯr nṯrr*	Louer, remercier et prier
Cindonda	<*nṯr.t*	Suivant, remplaçant, vice-
Cilonda	<*nṯrt*	Hache de parade employée comme insigne de chef[24]

Tenter de commenter ces listes non exhaustives, c'est courir le risque de sortir du cadre de cette étude. L'essentiel était de montrer que la langue maternelle de l'interprète semble être une forme du ciKame vivant et est très richesse en vocabulaire qui permet de penser et d'articuler adéquatement la relation de l'Un aux multiples.

Nous nous permettons cependant d'attirer l'attention sur ces deux données :

La Pensée Thébaine utilise un même concept que le Luba : *Wa, We, Oy, Ay* pour le nombre „UN", „Unique". Il en est de même du concept de „Multiples" (*-iNgi*).

Le terme ***Nṯr***, presque exclusivement rendu par „Dieu", est moins religieux qu'on ne pense. Car ***Nṯr*** comme *Ndedi, nDelu, Ciledi* signifie „cause, origine, source" et par conséquent „ancêtre primordial". Le tableau montre qu'il signifie aussi „le suivant, le rempaçant, vice". Dans ce sens, tout ce qui sort de l'Un est *Ndelu* „cause, origine" et *Ndedi* „engendreur", en translitération de l'esperanto égyptologique : *nṯr, nṯrw*.

24 *Cilonda*-cia-Buka-Lenga "Hache du pouvoir [Luba]"

Mais on pourrait nous rétorquer que la *Bible Noire* n'est à strictement parler qu'une *Bible Luba*, et qu'il serait indu d'extrapoler la Théologie-Philosophie ou les concepts Luba aux autres peuples africains.

Cette objection est devenue classique, car elle permet de contredire quelqu'un(e) même quand on n'a aucune preuve du contraire. Elle donne à celui/celle qui la soulève le parfum de scientificité et de rigueur. Nous la prenons au sérieux, bien que nous soyons persuadé de sa non-sériosité. La langue Luba comprend 70% du vocabulaire constitutif du substrat linguistique bantu. Le tableau esquissé ci-haut peut être largement compris et adapté à chaque variante de ciBantu.

c) Hénologie Bantu-Bwiti

Comme Africain et spécialiste des Religions Africaines, nous pouvons sans beaucoup d'efforts prendre l'exemple de l'**Ontologie de Bouiti** ou des Fang du Gabon. En lisant l'article de Stanislaw Świderski sur *La cosmogonie et l'ontologie selon la religion Bouiti au Gabon*[25], nous rencontrons les données suivantes :

> „Un des traits typiques de la philosophie bouitiste est la pensée que le monde constitue une unité. Le Bouiti montre, en effet, que finalement, en étudiant le sens de la vie, tout ce qui existe constitue une unité. Il explique cela de la façon suivante : l'essentiel de l'être n'est pas la durée, mais le devenir continuel.

[25] S. ŚWIDERSKI, La cosmogonie et l'ontologie selon la religion Bouiti au Gabon, in Journal of Religion in Africa, XIX, 2 (1989), p. 125-145. Cet article reprend les données déjà exposées en 1978 dans son livre : *Histoire de la religion Bouiti* , **1978**

Une telle conception a un caractère dynamique. Ensuite : il n'y a pas des êtres, mais un seul être qui se développe et qui prend différentes formes. Donc l'essentiel de l'être, comme celui de Dieu, est l'expansion en comparaison avec la lumière qui se répand par le rayonnement, mais reste toujours la lumière"[26].

L'auteur comprend les textes Bouiti de la même façon que Jan Assmann comprend les textes de la période ramésside :

„il n'y a pas des êtres, mais un seul être qui se développe et qui prend différentes formes. Donc l'essentiel de l'être ... est l'expansion".

De la thèse de l'auto-transformation, de l'auto-multiplication ou de l'auto-expansion, l'auteur poursuit avec la postulat de l'émanation :

„C'est donc de l'Absolu par l'émanation que tout être a commencé son existence. L'évolution de l'être a pris différentes formes, par l'émanation et par la procréation sexuelle, provoquant la traduction de l'élan vital"[27].

A propos de la question : „Est-ce que ce processus de devenir, dont parle le Bouiti, est nécessaire ou est-il l'œuvre d'une libre volonté ou, peut-être, le résulat d'un accident ?", notre interprète répond :

„selon la conception originale bouitiste, la formation de l'univers n'est pas un acte de libre volonté, ... mais le processus nécessaire de l'évolution. L'univers est un produit nécessaire 'de l'évolution' de Dieu. Sa 'créativité' est conçue comme l'évolution continuelle ou bien, autrement dit, un avenir continuer de l'Être divin éternel. Donc, le monde tire son origine de

26 S. ŚWIDERSKI, art.cit., p. 126.
27 S. ŚWIDERSKI, art.cit., p. 127.

> Dieu qui est, en soi l'essence de tout ce qui existe, il est tout en tout"[28].

Mais, nous apprend notre interprète Swiderski, il y a plusieurs possibilités de lecture ou de compréhension de l'ontologie de Bouiti :

> „On peut dire aussi autrement : selon le Bouiti les choses existent parce qu'elles participent en Dieu, ou encore autrement, existe seulement Dieu et l'univers est sa révélation. D'où le Bouiti tire une conclusion, que l'univers constitue un grand tout qui est animé par la nature divine. L'esprit est divin, il pénètre chaque chose d'où chacune d'elles est marquée par le divin. Mais, d'autre part, il faut reconnaître l'univers comme naturel, bien qu'il faille aussi voir en lui le caractère surnaturel, parce qu'il existe en Dieu"[29].

Sans le savoir, Swiderski s'était rapproché ici de l'intelligence de l'ontologie pharaonique d'Erik Hornung.

Résumant la cosmologie et l'ontologie Bouiti (*Bwty* ou *Bwity*), Swiderski nous laisse une série de passages qui nous rappellent la vision de Jan Assmann et d'Allen :

> „Si la première conception bouitiste, concernant l'origine et la nature du monde, peut être considérée comme panthéiste, parce que tout ce qui existe est sorti de Dieu par l'arrangement de la matière première et tout est en Dieu par le principe vital, la seconde, celle qui s'est formée sous l'influence du catéchisme chrétien est une conception dualiste, selon laquelle Dieu existe,

[28] S. ŚWIDERSKI, art.cit., p. 127.
[29] S. ŚWIDERSKI, art.cit., p. 127.

de son côté et la création, de l'autre, c'est-à-dire, en dehors de Dieu, conçue de rien"[30].

Tout est en transformation, aussi bien l'Univers que Dieu :

„L'essence de l'Univers est donc une éternelle transformation"[31]..

Et le but de cette transformation est de rassembler à Dieu :

„le monde et l'homme doivent se perfectionner pour atteindre leur modèle qui est Dieu"[32] ;

Cette transformation est aussi comprise comme la transformation-émanation de l'Un lui-même :

„Avec l'émanation des trois hypostases, commence la conception triadique de la cosmogonie et de l'anthropogonie bouitiste"[33]..

„Donc l'histoire de l'univers, c'est la sortie de Dieu et le retour vers lui-même"[34].

„Dieu ne sort pas de lui-même, mais donne ce qui est comme possibilité en lui. Sa 'créativité' n'est autre chose que l'épanouissement et le devenir de son être"[35].

[30] S. ŚWIDERSKI, art.cit., p. 136. L'interprète Swiderski ne connaissant des textes de la Vallée du Nil pense que la deuxième conception „dualiste" serait due à l'influence chrétienne tandis que la conception authentique, pure, serait la conception „moniste" ou de l'émanation de l'Un et du retour vers l'Un.

[31] S. ŚWIDERSKI, art.cit., p. 127.

[32] S. ŚWIDERSKI, art.cit., p. 127.

[33] S. ŚWIDERSKI, art.cit., p. 127.

[34] S. ŚWIDERSKI, art.cit., p. 128.

[35] S. ŚWIDERSKI, art.cit., p. 137.

„La nature de Dieu est d'émaner continuellement de soi des êtres“[36].

Et Swiderski de conclure :

„L'idée d'un tel monisme ontologique, selon lequel **tout est sorti de l'Un**, est bien illustrée dans tous les temples du Bouiti Missemé Paka par une peinture graphique“[37].

Ces citations nous révèlent qu'on peut étudier le thème du passage de l'Un aux multiples en s'appuyant sur les textes de différentes nations africaines actuelles. C'est dommage que notre auteur n'ait pas gardé en langue Bwiti les concepts de base.

Signalons cependant que cette Pensée de l'Un-Primordial (*um-Wa mBedi*) relève de la Haute-Science du Royaume „*Buloshi bwa Ditunga*“ et qu'elle est enseignée pendant le *Bwadi* (= Initiation) aussi bien chez les Luba du Congo-Zambie-malawi-Tanzanie-Angola-et-Grands-Lacs que chez les Fang, les Apindji et chez les autres nations du Gabon.

Bwiti n'est pas le nom d'une ethnie, mais d'une Ecole Politico-Théologico-Philosophique comparable aux *nKwemba* et aux autres *BwAdi* du Congo, de la Tanzanie, du Rwanda, de Burundi, de l'Ouganda, de Malawi, de la Zambie, de la Namibie, de Mozambique et de l'Angola. Cette dernière donnée implique que la Pensée de l'Un de Plotin fait partie de la Haute-Science du Royaume et qu'elle a des implications pratiques sur la conception et l'organisation politiques et religieuses du Royaume Terrestre ou Visible.

[36] S. ŚWIDERSKI, art.cit., p. 137.
[37] S. ŚWIDERSKI, art.cit., p. 141.

Notre but n'est pas de démontrer les affinités entre la Pensée Plotinienne et l'actuelle Pensée Bantu , mais plutôt de démontrer le caractère profondément Thébain – Thèbes représente une École Philosophico-Théologique à côté de beaucoup d'autres Écoles de l'Égypte Antique – de la Notion de l'Un enseignée par Plotin.

Mais il était scientifiquement nécessaire d'aider notre lecteur/ lectrice d'avoir toujours à l'esprit que les textes alexandrins ont leurs correspondants en Afrique Sub-Nubienne, c'est-à-dire en Haute-Éthiopie. Les concepts majeurs sont encore en usage jusqu'à ce jour. C'est une erreur pour la plupart des interprètes de Plotin d'écarter la matrice géo-culturelle, donc nilotique ou égyptienne génératrice et éducatrice de Plotin. La Pensée Plotinienne n'est que le pied d'une longue tradition dont la tête est l'Afrique du Sud, dont le cœur est le Congo et les jambes : la Vallée du Nil et du Niger.

En voulant s'approprier de Plotin, en le retrouvant dans Platon ou Aristote, l'Occident affirme dans les faits ce qu'il nie en théorie : la Filiation Philosophique de l'Occident à l'Afrique. L'Occident est tributaire de la Philosophie et de la Théologie Bantu, dans sa version de BuKam.

Notre vision du monde est conditionnée bien avant l'âge de 10 ans. A 28 ou 29 ans, l'Homme ne change plus sa vision du monde et il ne change plus ses habitudes. Il est déjà incorrigible.

Plotin a passé, comme nous le verrons, et son enfance et son adolescence non pas au nord de l'Egypte, mais au centre, à Lykopolis, donc entre Amarna et Thèbes, actuellement connu par les touristes sous le nom de Karnak-Louxor. Nous soutenons, sur base d'une analogie avec notre propre devenir philosophique, qu'**Alexandrie n'a absolument rien changé à des options philosophico-**

théologiques fondamentales de Plotin. Il est devenu plus érudit, mais est resté celui qu'il était à l'âge de 28 ans, c'est-à-dire wa-Bena-Luputa ou Bena-Muputa. Jusqu'à l'âge de 39 ans, donc pratiquement de 40 ans, Plotin n'était pas sorti de l'Égypte.

C'est donc un pensionné égyptien, un philosophe lycopolitain retraité et déjà intellectuellement incorrigible, qui ira fonder une École de *BwAdi* ou de *BwIti* dans le diBese „Bosquet initiatique" à Rome. Plotin, à strictement parler, **n'a pas appris la philosophie en Alexandrie**, mais il a eu à partir de l'âge de 29 ans des échanges philosophiques et une communauté de vie et de pensée avec les autres intellectuels égyptiens d'Alexandrie. Il était déjà Penseur de l'Un avant l'âge de 29 ans.

Dire que Plotin est un philosophe grec reviendrait à dire que Bilolo est un philosophe français ou allemand. Nous y reviendrons dans notre essai sur les prémisses historiographiques.

§ 12. Problématique de Racines de l'Un (*Wꜥ*) Plotinien

La finalité de cette étude est de contribuer à l'Histoire de la Pensée de l'Un (*Wꜥ*) et des Multiples (*Ḥḥw*) , d'une part, et à celle de l'Un „comme Multiple", d'autre part, dans l'Histoire de l'Humanité en général et dans celle de CiKam[38] (*Km.t*) ou BuKam (*Km*) alias Égypte Antique en particulier. La Pensée de l'Un a atteint, à notre avis, son apogée en Égypte, dans la région de Thèbes, entre le –16ème et le –11ème siècles avant notre ère.

[38] Essai de translitération en Bantu-Luba nous donne des toponymes encore en usage au Congo comme *BuKama, CiKam, Kama-Londo*, etc.

L'École Philosophico-Théologique de Thèbes, située dans l'actuelle région de Louxor-Karnak, nous est familière, non seulement de part l'Héritage ***Ntu*** de la Vallée du Nil, donc de part notre Kamité, mais aussi de part notre initiation aux idées de certains penseurs soit de la Vallée du Nil –le cas de d'Échnaton, de Moïse et de Plotin, Origène - soit formés par les philosophes Égyptiens -le cas de Platon, Plutarque, Jamblique, etc.

Pour introduire le lecteur/ la lectrice européen(ne) dans les différentes clairières de l'Un selon la Sublime Philosophie et Théologie Thébaines, on peut se servir de quatre sources grecques:

- *Isis et Osiris* de Plutarque
- *Ennéades* de Plotin
- *Mystères Égyptiens* ou „*Réponse d'Abammon à la lettre de Porphyre à Anébon et solution des difficultés qui s'y trouvent*" de Jamblique
- *Corpus Hermeticum* ou *La Révélation* d'Hermès Trimégiste

Cet essai prouve que les *Ennéades* de Plotin peuvent être exploitées comme des *Prolégomènes* antiques à l'étude de l'Hénologie Pharaonique.

La Pensée Thébaine nous est certes familière, mais la Haute-École de Thèbes elle-même, la plus puissante et la plus critique des Universités de Sciences de l'Esprit depuis la création de tout ce qui est, n'est pas très connue. L'Université Thébaine nous gêne, car elle révèle aux philosophes et aux théologiens modernes, la primitivité de leurs idées et le mythe de leur „originalité" et de leurs „apports". Ils évitent de se mesurer à Thèbes en faisant comme si la Philosophie Thébaine était moins importante que celle d'Héliopolis, d'Hermopolis, de Memphis et d'Amarna. Toutes ces Écoles sont certes importantes, mais Thèbes est, pour ainsi dire, l'Académie de la Philosophie de l'Un et de la Maât. Même sur le plan de l'architecture, l'Université Thébaine, est encore plus jolie, plus imposante, plus complexe que toutes nos universités modernes (Voir Photo, p. 1). Elle mérite réellement le titre de „Temple", mais de „Temple de la Maât" ou „Temple de la Pensée Maâti".

Plotin dont on vante tant la curiosité et l'amour de la connaissance pouvait-il rester indifférent devant l'enseignement donné dans ces universités de sa patrie ? Cette Université de Karnak forme un tout avec le complexe de Louxor et celui de la Vallée des Rois ou des Reines. Mais elle comprend aussi les centres intellectuels comme Dendera, Badari ou Assyut „région natale de Plotin", Amarna, Abydos, Esna, Edfou, Kom Ombo, Philae, etc.

§ 13. Témoignage antique sur l'Origine de l'Hénologie de Plotin

A tout seigneur, tout honneur, dit-on. La mise en lumière de l'être égyptien de la Conception Plotinienne de l'Un, est le mérite du philosophe Syrien JAMBLIQUE (+250 / +330), disciple de Porphyre (+ / +305), deuxième Successeur de Plotin à la tête de l'École Néo-Pharaoniste.

Jamblique a succédé à Porphyre (mort vers +305), l'élève de Plotin. Son témoignage en tant que Directeur de l'École Plotinienne est décisif sur la Patrie de la Pensée de l'Un et sur l'Origine de la Philosophie enseignée dans cette École.

Jamblique nous apprend que la Problématique de l'Un et des multiples, que la Pensée de l'Un, enseignée par Plotin et par son École, est essentiellement d'origine égyptienne. Elle est caractéristique de la Philosophie Égyptienne.

Mais Jamblique ne s'était pas seulement contenté de rappeler que la Philosophie Égyptienne de l'Un et des multiples avait encore des „maîtres“ qui enseignaient publiquement[39] à leur époque (= époque de Plotin, de Porphyre et de Jamblique), mais il s'était donné aussi la peine de faire un résumé succinct de la Doctrine Égyptienne sur les Principes (*Ḫpr.w tpi.w*):

> „Elle commence à partir de l'Un [en égyptien: Wa, Waw] et procède jusqu'à la pluralité [en égyptien: *Ḥḥ*, ꜥš3], les multiples étant à leur tour gouvernés par l'Un et la nature indéterminée partout maîtrisée par une mesure déterminée et par la cause suprême qui unifie toutes choses“[40].

Ou encore:

> „Avant les êtres véritables (Πρὸ τῶν ὄντως ὄντων ou *ḫpr ḫpr / ḫpr wnnt / wnnt nbt*) et les principes universels (καὶ τῶν ὅλων ἀρχῶν) il y a un **dieu qui est l'Un**[41] (ἐστι θεὸς εἷς ou *Nṯr-Wa*), le **Tout-premier** (πρῶτιστος ou *p3wti /p3wt tpt*) même par rapport au Dieu et Roi premier; il demeure immobile (ἀκίνητὸς μένων ou *Nni / wrḏ / mn nni*) dans **la solitude de sa singularité**[42] (*Wꜥ-Wꜥw* ou ἐν μονότητι τῆς ἑαυτοῶ ἑνότητος];... il est établi comme modèle du dieu qui est à soi-même un père et un fils [*It s3*], et est le père unique du vrai Bien

[39] Rappelons qu'il reviendra sur la vitalité de cet enseignement, à propos du conflit des interprétations (VIII, 1, 260) : ils *„en disputent de plusieurs façons et les interprètent en bien des sens“*.

[40] JAMBLIQUE, Les mystères d'Egypte, VIII, 3 (265, 1-6), p. 197.

[41] Traduction parfaite de: *Nṯr-wᶜ*

[42] Traduction qui renvoie à: *Wᶜ- wᶜw* „Un qui est Unique / qui demeure Unique“.

[*it nfr(w) / it m3ˁt*]; car il est plus grand, premier, source de tout [*s3ˁ-tm / s3ˁ nti nb*], base des êtres qui sont les premières Idées intelligibles. A partir de ce Dieu Un [*Nṯr-wa / Wa* / ἑνός) se diffuse le dieu qui se suffit [αὐτάρκης θεὸς ou *nṯr ḫpr ḏs.f*)); c'est pourquoi il est à soi-même un père et un principe, car il est principe et dieu des dieux [καὶ θεὸς θεῶν ou *Nṯr-nṯr.w*][43], monade issue de l'un antérieur à l'Essence et principe de celle-ci".[44]

La dernière phrase se rapporte à l'idée exprimée par les passages du genre de celui de CT 317 IV 127f-h, S1C:

ỉnk ỉs Ḫpri ḫpr ḏs.f	„je suis Khepri (l'Être) qui existe de lui-même.
ḫpr.n.ỉ m dḳrw Rˁ	Je suis venu à l'être en tant que quintessence de Rê"[45].

Susanne Bickel[46] a exploité ces textes sous le titre: *„Le concept du fils-créateur"*, mais il serait plus précis de parler du „fils créé autocréateur et créateur".

Il est considéré selon les textes comme: „Soleil" (Ra), „Air / Pneuma" (*Shu*), comme „Vie" (*ˁnḫ*), „Intelligence / Intellect / Pensée" (*Sia*), „Parole" (*Hou*), „Eau / Fleuve" (*Hapi*), „Énergie ou Puis-

43 Egyptien: *Nṯr-(n)-nṯrw*

44 JAMBLIQUE, Les mystères d'Egypte, VIII, 2 (261,9 -262,8), p. 195-196.

45 Cf. M. BILOLO, Métaphysique Pharaonique IIIe millénaire av. J.-C., Munich-Kinshasa, 1994, p.121. *Dgrw* devient en luba *Dikolo* , en luba de Tanganyka *dikoro* / *digoro* et véhicule trois sens: „quintessence", „fruit rond/ monade" et „miracle, force miraculeuse". Ce dernier sens manifeste dans la traduction luba *dikol(o),* est absent de la traduction française.

46 Lire à ce sujet S. BICKEL, La cosmogonie égyptienne avant le Nouvel Empire, Fribourg-Göttingen, 1995 p. 147, texte 126.

sance créatrice" (*Heka*), „Vérité-Justice-Bien-Ordre" (*Maât*), *Ka* „Esprit", *Ba* „Âme", *Akh* „Esprit rayonnant/ Lumière spirituelle", Osiris ou Horus, etc. Très souvent, la première émanation de l'Un est conçu comme un double-principe: *šw-ʿnḫ* „Pneuma+Vie = Souffle de Vie", *sia+hw* „Pensée-Parole", Shu+Maât.

Jamblique ne s'était pas contenté des généralités. Son résumé comprend aussi des détails[47] qui prouvent la qualité et la pertinence du cours de Philosophie Pharaonique de l'Un dispensé à l'École de Plotin l'Égyptien:

[47] Nous suivons le texte établi et traduit par Éduard des Places, mais un lecteur anglophone peut voir: IAMBLICHUS, Theurgia or On the Mysteries of Egypt, transl. By Alexander Wilder, 1911: „According to another arrangement, however, Hermes places the God Emêph[7] as leader of the celestial divinities, and declares that he is Mind itself, perceptive of itself and converting the perceptions into his own substance. But he places as prior to this divinity, the One without specific parts, whom he affirms to be the first exemplar[8] and whom he names Eikton.[9] In him are the First Mind and the First Intelligence, and he is worshipped by Silence alone.[10] Besides these, however, there are other leaders that preside over the creation of visible things.[11] For the Creative Mind, guardian of Truth and wisdom, coming to the realm of objective existence, and bringing the invisible power of occult words into light is called in the Egyptian language, AMON (the Arcane): but as completing everything in a genuine manner without deceit and with skill, *Phtha.* The Greeks, however, assume Phtha to be the same as Hephæstos, giving their attention to the Creative art alone.[12] But as being a dispenser of benefits, he is called Osiris:[13] and by reason of his other powers and energies, he has likewise other appellations". Ce texte est accessible sur Internet: http://www.esotericarchives.com/oracle/iambl_t3.htm

Eiktôn / Iktôn	*Itn* (Aton)	L'Un / Soleil/ Disque solaire
	3ẖ(t)-Ἰtn? (Akh-Aton)[48]	Soleil-Splendide / -Rayonnant / Soleil-Brillant / Soleil qui est Beauté-Splendeur-Bien
Hmeph/ Émeph [49]	*Kneph/Nef/ Neph = Num*	Esprit/ Pneuma, Esprit-Primordial, „Pilote-Parfait" en Éthiopie

Le premier nom nous renvoie aux *Hymnes d'Echnaton,* au Monooriginisme d'Amarna et le second au „Spiritualisme" Éthiopien, à l'Esprit qui gouverne, pilote tout ce qui est et tout ce qui n'est pas.

Signalons aussi *primo*, la tension entre „Premier Intelligent et Premier Intelligible" qui nous renvoie à *Ka, Sia, 3ẖ* ou *Imn* et Emeph, et *secundo*, la trinité-polymorphie de ce „Premier Intelligent et Premier Intelligible":

48 *3ẖ(.t / .w)* devient en Copte: ⲁⲏⲉ /ⲓⲏ „Beauté, Splendeur, Rayonnement splendide, etc." et en Grec: Αχ(ις) / αχθ(ης)

49 Notre hypothèse est que ce mot vient de *Ḥmj* „Gouverneur / Pilote" + *Nfr* „Parfait" et signifierait „Gouverneur-Parfait", „Pilote-Parfait" de tout ce qui est, mais aussi „Créateur-Modeleur-Parfait" (de *Ḥm* „Modeleur = Créateur") et „Souverain / Roi-Parfait" (de *Ḥm* „Serviteur / Roi / Majesté"). Devient en Copte: ϩⲙⲉ / ϩⲓⲙ et Nfr devient ⲛⲟⲩϥⲉ, ⲛⲁϥⲣ, ⲛⲟϥⲣ, ⲛⲉϥⲣ. Les deux termes peuvent donner en Grec: Emeph. Nous nous inspirons de Memphis: *Mn-Nfr* devenu ⲙ̄ⲛϥⲉ en copte (**Menf / Menfe / Menfi < Men-nefer**) et finalement en grec: Memphis.

Amoun	„Force Invisible, Maître des choses cachées“
Ptah	„Artiste-Créateur Infaillible/ Infatigable“
Osiris	„Source des Biens / Source du Bien“
… etc.	… etc.

Nous sommes ici en présence d'un savant qui tente une synthèse du passage de l'Un aux multiples, une mise en lumière des Principes Intermédiaires entre l'Un et les multiples. Il nous enseigne que le Dieu-Créateur-et-Gouverneur de Tout est, pratiquement, le troisième Principe, issu de l'Esprit, de l'Intelligence de l'Un[50].

Le lecteur ou la lectrice se demande sans doute: comment peut-on passer sous silence des preuves si contraignantes, fournies par le Directeur de l'École Plotinienne, disciple de Porphyre, témoin de la place de la problématique de l'Un et des multiples dans les écoles philosophiques égyptiennes, et continuer à discuter sur les origines de l'hénologie de Platon, de Speusippe ou de Plotin, comme si l'Egypte n'existait pas et comme si l'Egypte n'était pas évoquée par les sources antiques en rapport avec la Pensée de l'Un et du Tout?

Il faut être scientifiquement mal formé ou mal informé pour pouvoir interpréter Plotin en dehors du témoignage de Jamblique. Le mépris de ce témoignage illustre l'ambiguïté de l'occidentologie vis-à-vis de l'Égypte: L'Égypte appartient à l'Occident, devient leucoderme et européenne, quand il s'agit de s'approprier de ses monuments, de ses arts ou de sa civilisation matérielle, mais elle redevient „méla-

50 Ces données sur la Conception Égyptienne de l'Un selon Jamblique montrent que les *Ennéades* de Plotin sont soit incomplètes soit amputées délibérément d'autres parties.

noderme, méridionale, africaine“ quand on veut étouffer sa contribution philosophico-théologique.

Plus nous étudions les textes classiques grecs et latins, plus nous nous rendons compte de l'orientation essentiellement épistémophobique (=phobie de la connaissance), maâtiphobique (= phobie de la maât) et xénophobique (= phobie de l'étranger) de l'Histoire de la Philosophie, enseignée depuis le début des holocaustes esclavagistes et des croisades coloniales.

En insistant sur „enseignée“, nous rappelons cette autre Histoire Occidentale de la Philosophie, celle des scientifiques indésirables, à laquelle appartiennent des auteurs comme Jamblique, Plutarque, Platon, Aristote, Banu, Orthbandt, Assmann et surtout Frenkian. L'Histoire Occidentale de la Philosophie est non seulement égyptophobique, mais elle est aussi gréco-phobique.

Jamblique avait aussi rappelé que „LA Conception Égyptienne de l'UN“ n'existe pas. Il existe plutôt plusieurs conceptions et plusieurs interprétations des textes qui s'y rapportent:

„*dans les écrits des anciens scribes sacrés, on trouve rapportées là-dessus bien des opinions diverses, de même que,* ***chez les sages encore vivants,*** *sur les grands sujets la doctrine n'est pas transmise d'une manière uniforme*“; *ces sages* „*en disputent de plusieurs façons et les interprètent en bien des sens*“[51].

Nous apprenons ainsi que les sages égyptiens enseignaient encore ces thèmes et les interprétaient de différentes manières au milieu du +4ème siècle, plus de 50 ans après la mort de Plotin.

[51] JAMBLIQUE, Les mystères d'Egypte, VIII, 1 (260,10-261, 5).

§ 14. Pourquoi Plotin et la Pensée Thébaine?

Nous avons choisi, pour cet essai, la mise en lumière des Fondements Thébains ou Amoniens de la Conception Plotinienne de l'Un. Le choix n'est pas le terme adéquat. Nous avons comparé au préalable Plutarque, Jamblique et Plotin aux différentes Théologies Philosophiques Pharaoniques. Cette comparaison nous a révélé que Plotin se situe dans la ligne de la Pensée Thébaine. Nous ne pouvions étudier ni les Fondements Thébains ou Amoniens de Plutarque ni les Fondements Thébains de Jamblique, car ils (Plutarque et Jamblique) avouent vouloir donner un résumé ou une synthèse laconique des Doctrines Philosophiques Égyptiennes. Plotin, étant Égyptien, semble avoir jugé superflu de signaler les Fondements Égyptiens de sa Pensée. Ce qui est normal. Car sa pensée est l'expression de sa kamité. Elle est constitutive de sa kamité, de son être nilotique. Un Allemand pense allemand, mais il ne dit pas que sa pensée est d'origine allemande.

A part les considérations d'ordre historique, pédagogique ou polémique, à part le „grec égyptien", il y a peu d'éléments grecs ou romains dans la Philosophie de Plotin. Il cite certes certains auteurs grecs ou romains, non seulement parce qu'il enseignait en Italie les étudiants à majorité grecs et romains, mais que les cours se nourrissent toujours des survols historiques ou géo-politiques ainsi que de fausses problématiques. Mais, nous ne cesserons pas de le rappeler, la Conception de l'Un qu'il expose n'est ni grecque ni italienne. Plotin explique, enseigne à ses élèves la Conception de l'Un de ses compatriotes Égyptiens, e.a.: **Pot-Amun et Ammonius Saccas,** et par-delà ces maîtres, la Conception Pharaonique de l'Un (*Wˁ*). Nous attirons l'attention sur le fait que *Wᶜ* „Un" est commun à l'égyptien (*ci-Kame*) et aux langues Bantu.

Cette formulation de notre hypothèse de travail est d'une radicalité déconcertante et nous en sommes pleinement conscient. Cette radicalisation est méthodologiquement nécessaire en vue de sensibiliser les esprits épris de la Maât „Vérité-Justice-Ordre" sur le caractère scientifiquement non-critique et moralement impropre d'une certaine historiographie philosophique xénophobique, consacrée par les programmes officiels de l'Enseignement Secondaire et Supérieur. Cette historiographie ignore ou fait fi de tout ce qui a été écrit sur la Pensée Pharaonique par les autres penseurs européens depuis l'Antiquité jusqu'à nos jours.

Il est erroné et injuste d'occulter ou de minimiser la Philosophie ou la Théologie Pharaonique dans l'étude des fondements de l'Hénologie de Plotin. Il est faux et il est fou également de chercher à déposséder Plotin de sa nationalité égyptienne ainsi que du caractère profondément égyptien de sa pensée.

§ 15. Notre thèse

Nous soutenons que, pour comprendre Plotin l'Égyptien, l'interprète n'a besoin ni de Platon ni d'Aristote, ni encore moins de l'Iran ou de l'Inde.

Il/Elle a besoin de connaître d'abord la Pensée Thébaine de l'Un et ensuite la Pensée Égyptienne en général ainsi que l'Hénologie des autres Peuples Africains. À strictement parler, la Tradition d'Echnaton et celle des Ramsès (Pensée Ramesside) sont des classes ou des tendances de cette Grande École Thébaine. Il est possible que la Philosophie et la Théologie Bantu soient le Monument Vivant de cette Grande École de la Pensée de l'Un ou du Mono-originisme.

Plotin n'est pas Platonicien, comme on ne cesse de l'enseigner. Son École devrait être appelée non pas „Ecole du néo-platonisme", mais plutôt **„École du Néo-Thébanisme"** ou pour utiliser l'expression chère à nos critiques : „École du Néo-Pharaonisme". Platon a étudié la Pensée Thébaine dans ses versions de Saïs, de Naucratis et d'Héliopolis. Il était lui-même disciple de la Lumière de l'Esprit qui brillait dans toute sa splendeur dans la Vallée du Nil.

§ 16. Préalables pour une approche synoptique solide

Plotin a vécu en Égypte au troisième siècle de la Période de la Décadence Globale et plus précisément durant l'Occupation Latino-Chrétienne dans la Vallée du Nil. Cette Période de la Décadence commence avec l'Invasion Perse en Égypte vers –525 et surtout avec le Déplacement de la Royauté à Méroé[52] et s'est poursuivie sous de différentes Occupations : Romaine, Islamique, Turque, Anglaise, etc. L'étude de la Pensée d'un auteur colonisé par les Romains, ayant pris plus tard la nationalité romaine, demande une connaissance non seulement des philosophies de cette période, mais aussi une connaissance solide de la Théologie d'Isis ou d'Osiris dans l'Empire Romain.

Ses *Ennéades*, probablement dictées ou partiellement écrites après plus de 10 ans d'enseignement à Rome, ne sont pas écrites en Latin, mais en Grec.

52 Vers le 15° de parallèle Nord, à la même hauteur que le Sénégal, le Lac Tchad, au Sud du Mali et du Niger. Mais la Décadence ne s'établit comme tradition qu'avec l'Invasion Romaine.

Dans ce sens, Plotin étant un philosophe égyptien grécophone, son œuvre fait partie de la littérature grécophone, étudiée par les grécologues. Mais il ne faut jamais perdre de vue l'influence de la Culture et de la Politique Romaines sur cette œuvre.

Certains Hymnes Thébains existaient en version latine et grecque. Ces traductions sont des monuments de la Réception tardive et de la vitalité de la Pensée Pharaonique de l'Un au début de notre ère.

Ces aspects du temps de Plotin montrent que, pour mieux pouvoir le positionner, il faut être un philosophe-grécologue ou romanologue et se spécialiser dans les philosophies de la Décadence.

Mais être philosophe grécologue ne suffit pas. Il faudrait surtout être philosophe-égyptologue, avoir des connaissances approfondies de la Culture Africaine, sous-groupe Culture Pharaonique, avec la Philosophie Thébaine comme domaine de spécialisation. Cette formulation veut dire que la philosophie égyptienne fait partie de l'africanologie, et qu'au sein de l'africanologie, elle fait partie de l'égyptologie.

Le mérite d'avoir le premier développé systématiquement la Pensée Thébaine dans ses différents aspects et d'avoir édité en allemand des centaines d'Hymnes revient sans doute à Jan Assmann, comme on peut le remarquer à partir de son „Positionnement scientifique" et du Corpus STG que nous utilisons au cours de la 2ème partie.

Notre objectif était de poursuivre cette œuvre d'interprétation systématique et en profondeur du contenu philosophico-théologique de ces Hymnes et Prières Thébains du Nouvel Empire et de la Basse-Époque.

Les Textes Thébains constituent une œuvre plus volumineuse que la Bible judéo-chrétienne, composés par des centaines d'auteurs. Ils donneront naissance aux Instituts ou Séminaires du genre :

- *Institut d'Exégèse Thébain ;*
- *Séminaire de Philosophie Thébaine ;*
- *Chaire de Théologie Thébaine* (du Nouvel Empire, de la Basse-Époque) ;
- *Centre de Recherche sur la Réception de la Philosophie Thébaine dans la Philosophie Hellénistique*, etc.

Malgré 15 ans passés (1991-2006) entre la rédaction et la publication, nous sommes encore le seul scientifique vivant à remplir, dans sa tête, les préalables nécessaires pour le positionnement critique de Thèbes dans le Devenir de la Philosophie Afro-européenne depuis l'Occupation Romaine : Philosophe, à la fois spécialiste de la Philosophie Pharaonique Thébaine et de la Philosophie Grécophone de la Décadence, alias Antique, sans oublier la Philo~~sophie~~ des Esclavagistes et des Colons.

Du point de vue Africain, cet essai fait partie des Questions Approfondies et des Problématiques Majeures de la Philosophie Africaine. Il contribue également à l'Histoire de la Philosophie Africaine de cinq premiers siècles de l'Occupation Latino-Européenne en Afrique.

§ 17. Sources thébaines

Les données des *Ennéades* dites de Plotin seront comparées non pas avec des commentaires sur les Hymnes, mais plutôt avec les Textes Thébains, avec les formules ou les formulations de savants de l'Université de Thèbes. Nous suivrons deux collections-éditions critiques, à savoir :

- STG (=*Sonnenhymnen in Thebanischen Gräbern*) de Jan Assmann[53] et
- HPEA (=*Hymnes et Prières de l'Egypte Ancienne*) de Barucq-Daumas[54] .

Le Corpus STG a l'avantage de mettre à la disposition du lecteur/de la lectrice : 1. la version hiéroglyphique, 2. la translitération et 3. la traduction. Il permet ainsi de penser à partir de l'original et de modifier l'une ou l'autre translitération et traduction, là où c'est nécessaire.

Le Corpus STG est une collection de plus de 250 *Hymnes* (158 chez Barucq-Daumas) dont la plupart comprennent aussi plusieurs chapitres.

§ 18. Partage préalable des conclusions sur l'Hénologie Thébaine

Notre interprétation des formules thébaines principales a été soumise à l'épreuve du temps (1990-2007) et à celle de la communauté scientifique interculturelle.

Certaines questions grammaticales sur la formule principale ont été publiées en allemand dans un ouvrage collectif, intitulé *Hermes Aegyptiacus,* en hommage au Prof. B.H. Stricker :

53 J. ASSMANN, Sonnenhymnen in Thebanischen Gräbern (Theben I), Mainz am Rhein, 1983. En sigles : STG.

54 A. BARUCQ et F . BARUCQ, *Hymnes et Prières de l'Egypte Ancienne, Paris, 1980.*

- *Zur sw-Semantik in dem Satz: wᶜ jr(jw) sw m hh(w)*. In: T. DUQUESNE (éd.), Hermes Aegyptiacus, Egyptological studies for BH Stricker, Oxford, 1995, p. 27-42.

La suite a été publiée dans la revue *Discussions in Egyptology* :

- *„Wᶜ-jr-sw"-Semantik in dem Satz: Wᶜ-jr-sw-m-hh(w). Die Hypothese eines exozentrischen Kompositums und einer festen Permansivverbindung"*, in Discussions in Egyptology (Oxford), 35 (1996), p. 5-17.

L'essentiel de notre interprétation philologique et pragmatique ou philosophique a été soumis à l'appréciation des philologues-égyptologues venus de tous les continents, lors du *7ème Congrès International des Égyptologues,* en septembre 1995, à Cambridge, United Kingdom . Il portait le titre :

- *„Kotextuelle" Angaben zur Formel Wᶜ jr(jw) sw m Ḥḥ*w. Vortrag gehalten in der Session „Linguistics" des 7. ICE, am Donnerstag 7. September 1995, 16 p. La deuxième partie de notre communication s'était penchée sur l'analyse contextuelle de cette formule.

Parmi les participants au débat, modéré par le Prof. John Ray (Université de Cambridge), citons entre autres : Prof. Helmut Satzinger (Université de Vienne, en Autriche), Prof. John Baines (Université de Oxford), Prof. Irene Shirun-Grumach (Université de Jérusalem, Prof. A. Bellucio (Université de Rome), Prof. L. Depuydt (Brown University, USA), Prof. Joachim Friedrich Quack (Université de Heidelberg, jadis à l'Université de Tübingen), Prof. Jean Winand (Université de Liège, Belgique), ... À la fin du débat, le Prof. John

Ray regrettait le fait que le Congrès n'avait pas prévu un prix de philologie et d'herméneutique.

C'est dire que notre projet d'élucidation des fondements égyptiens du Plotinisme se fonde sur les conclusions d'une approche pragmatique solide, tenant compte des *données textuelles, co-textuelles, contextuelles et inter-textuelles* relatives aux passages sur l'Un et les multiples dans les Hymnes Thébains.

§ 19. Thèses „méridionales ou sudistes", alias „orientales"

Quels sont ces éléments ou ces thèses qui proviendraient du Sud, appelé par la fausse géographie „Orient" ?

Parmi les éléments constitutifs de ***la Nouveauté*** de la philosophie plotinienne par rapport à l'héritage grec, la tradition dominante cite les thèses ou les idées suivantes sur l'Un:

- Primordialité de l'Un,
- Transcendance de l'Un,
- Ineffabilité de l'Un,
- Auto-production de l'Un,
- Infinité de l'Un,
- Immanence-omniprésence de l'Un,
- L'Un comme Principe de toutes choses,
- Le *proodos* du multiple à partir de l'Un,
- L'*epistrophé* ou retour des multiples vers l'Un,
- Inépuisabilité ou Rayonnement de l'Un,
- différence entre l'Un et l'Être,
- différence entre l'Un et l'Intelligence,
- l'Un comme doué de „vie" et „conscience"
- ...

D'où viennent ces idées? Quel est le Centre Philosophico-Théologique que l'Histoire de la Philosophie peut considérer, à juste titre, comme le Foyer du Rayonnement de la Pensée de l'Un?

Logiquement, la réponse à cette question est claire: Si Plotin qui n'a jamais vécu en Inde ou en Grèce fait preuve d'une telle connaissance de la problématique de l'Un, c'est que le Foyer de la Pensée de l'Un est sa propre patrie, à savoir la Vallée du Nil et plus précisément *Km-Niwt*[55] „Mélano-polis", *DiTunga-dia-Kam*, *BuKama*[56] ou „Kame /ⲕⲉⲙⲉ /ⲕⲏⲙⲉ" ou „Égypte".

Ce Centre Philosophique Mélanopolitain a développé, dès la fin du -IVème millénaire avant l'Occupation Romaine, une Pensée non-dogmatique, aux multiples tendances et aux multiples expressions. Cette Pensée est multiforme non seulement dans le temps et l'espace, mais aussi dans ses thèmes majeurs: méta-ontologie, ontologie ou métaphysique, philosophie ou théologie solaire, philosophie de la création, philosophie morale, philosophie politique, philosophie écologique, anthropologie, philosophie de l'histoire, épistémologie, théodicée, théologie négative ou théologie de l'Ineffable, philosophie ou théologie royale, etc.

Même en parlant de la Pensée de l'Un, le conflit des interprétations qui se manifeste dans les tentatives de caractérisation de cette Pen-

55 La langue luba nous pousse à lire *T-Niw-Km* = Di-Now-a-Kam, „Mélano-Polis". *Dinowa* a ici le sens de CiMenga ou Ditunga „Pays, Ville", mais il signifie étymologiquement „Lieu de Récolte, Centre Agricole. Action de Récolter". Le signe utilisé est celui de Ci-Menga, Di-Tunga „Espacé clôturé, urbanisé, divisé mathématiquement en quatre quartiers (*Tengu*)".

56 Signalons que Kam(a,e), BuKam(e,a,i), DiKama, BaKam(a,e,i), CiKama, etc. sont des anthroponymes et des toponymes très répandus au Congo.

sée, entre autres: monisme, monothéisme, mono-originisme, panthéisme, déisme, etc., montre la diversité des tendances aussi bien au niveau de textes pharaoniques qu'à celui de leur réception ou interprétation. N'oublions pas le conflit des interprétations qui domine actuellement en Égyptologie sur la question: Les multiples sont-ils dans la Philosophie Égyptienne un produit:

- *a)* de l'acte de la création *ex-nihilo*, ex-néant?
- *b)* du processus d'émanation permanente?
- *c)* ou du processus de transformation en millions?

Ce débat nous oppose, depuis des années, à Jan Assmann, Erik Hornung, Allen, Suzanne Bickel ainsi qu'à la Faculté de Philosophie de l'Université de Zürich.

Comme notre étude sur les deux Écoles Héliopolis et Hermopolis, tendant vers le modèle émanation-transformation, et le travail sur les deux Écoles Memphis et Amarna, soutenant la Création par la Parole ou par l'effet à distance de la Lumière-Chaleur Solaire, l'ont prouvé, tous ces modèles sont présents dans l'Histoire de la Philosophie Pharaonique.

Le super-modèle „Soleil" est commun à toutes ces écoles. Plotin reprend pratiquement la Philosophie et la Physique Solaires d'Echnaton pour expliquer la Surabondance de l'Un; le Rayonnement Solaire lui permettant d'expliquer la façon dont l'Un crée, laisse ek-sister les multiples sans effort, sans se vider et sans cesser d'être l'Un absolument Transcendant. Son langage annonce la Philosophie et la Théologie Bantu.

II.
THÈSES PLOTINIENNES ET LEURS FONDEMENTS THÉBAINS

§ 20. Thèses „méridionales ou sudistes“, alias „orientales“

Quels sont ces thèses constitutives, citées par la plupart des historiens de la philosophie occidentale comme constitutives de la nouveauté plotinienne, et qui proviendraient du Sud, appelé par la fausse géographie „l'Orient“ ?

Parmi les éléments constitutifs de ***la Nouveauté*** de la philosophie plotinienne par rapport à l'héritage grec, la tradition dominante cite les thèses ou les idées suivantes sur l'Un:

- Primordialité de l'Un,
- Transcendance de l'Un,
- Ineffabilité de l'Un,
- Auto-production de l'Un,
- Infinité de l'Un,
- Immanence-omniprésence de l'Un,
- L'Un comme Principe de toutes choses,
- Le *proodos* du multiple à partir de l'Un,
- L'*epistrophé* ou retour des multiples vers l'Un,
- Inépuisabilité ou Rayonnement de l'Un,
- différence entre l'Un et l'Être,
- différence entre l'Un et l'Intelligence,
- l'Un comme doué de „vie“ et „conscience“ ; - ...

D'où viennent ces idées? Quel est le Centre Philosophico-Théologique que l'Histoire de la Philosophie peut considérer, à juste titre, comme le Foyer du Rayonnement de la Pensée de l'Un?

Logiquement, la réponse à cette question est claire: Si Plotin qui n'a jamais vécu en Inde ou en Grèce fait preuve d'une telle connaissance de la problématique de l'Un, c'est que le Foyer de la Pensée de l'Un est sa propre patrie, à savoir la Vallée du Nil et plus précisément *Km-Niwt*[1] „Mélano-polis", *DiTunga-dia-Kam*, *BuKama*[2] ou „Kame /**ⲕⲉⲙⲉ** /**ⲕⲏⲙⲉ**" ou „Égypte".

Ce Centre Philosophique Mélanopolitain a développé, dès la fin du -IVème millénaire avant l'Occupation Romaine, une Pensée non-dogmatique, aux multiples tendances et aux multiples expressions. Cette Pensée est multiforme non seulement dans le temps et l'espace, mais aussi dans ses thèmes majeurs: méta-ontologie, ontologie ou métaphysique, philosophie ou théologie solaire, philosophie de la création, philosophie morale, philosophie politique, philosophie écologique, anthropologie, philosophie de l'histoire, épistémologie, théodicée, théologie négative ou théologie de l'Ineffable, philosophie ou théologie royale, etc.

Même en parlant de la Pensée de l'Un, le conflit des interprétations qui se manifeste dans les tentatives de caractérisation de cette Pen-

[1] La langue luba nous pousse à lire *T-Niw-Km* = Di-Now-a-Kam, „Mélano-Polis". *Dinowa* a ici le sens de CiMenga ou Ditunga „Pays, Ville", mais il signifie étymologiquement „Lieu de Récolte, Centre Agricole. Action de Récolter". Le signe utilisé est celui de Ci-Menga, Di-Tunga „Espacé clôturé, urbanisé, divisé mathématiquement en quatre quartiers (*Tengu*)".

[2] Signalons que Kam(a,e), BuKam(e,a,i), DiKama, BaKam(a,e,i), CiKama, etc. sont des anthroponymes et des toponymes très répandus au Congo.

sée, entre autres: monisme, monothéisme, mono-originisme, panthéisme, déisme, etc., montre la diversité des tendances aussi bien au niveau de textes pharaoniques qu'à celui de leur réception ou interprétation. N'oublions pas le conflit des interprétations qui domine actuellement en Égyptologie sur la question: *Les multiples sont-ils un produit*:

- *a)* de l'acte de la création *ex-nihilo*, ex-néant?
- *b)* du processus d'émanation permanente?
- *c)* ou du processus de transformation en millions?

Ce débat nous oppose, depuis des années, à Jan Assmann, Erik Hornung, Allen, Suzanne Bickel ainsi qu'à la Faculté de Philosophie de l'Université de Zürich.

Comme notre étude sur les deux Écoles Héliopolis et Hermopolis, tendant vers le modèle „émanation-transformation", et le travail sur les deux Écoles Memphis et Amarna, soutenant la Création par la Parole ou par l'effet à distance de la Lumière-Chaleur Solaire, l'ont prouvé, tous ces modèles sont présents dans l'Histoire de la Philosophie Pharaonique.

Le super-modèle „Soleil" est commun à toutes ces écoles. Plotin reprend pratiquement la Philosophie et la Physique Solaires d'Echnaton pour expliquer la Surabondance de l'Un; le Rayonnement Solaire lui permettant d'expliquer la façon dont l'Un crée, laisse ek-sister les multiples sans effort, sans se vider et sans cesser d'être l'Un absolument Transcendant. Son langage annonce la Philosophie et la Théologie Bantu.

Nous allons essayer d'élucider au cours de cette section les fondements thébains de chacune des thèses majeures retenues par l'Histoire Classique de la Philosophie Occidentale. Il s'agit de Thèbes de la 2ème moitié du –IIe millénaire.

§ 21. Thèse de la Primordialité absolue de l'„Un Suprême" *(p3wtj tpj, ḫpr m-ḥ3t)*

Plotin appelle le „Premier-Principe" (*p3wti tpi*): „l'Un" (Hen / *Wʿ*). Nous avons essayé de résumer sa conception de la primordialité de l'Un au moyen du tableau suivant:

	Plotin	**sources Keme possibles**
	„est avant tout être"[3],	*P3wti r (i)ḫt nbt*
	est „principe antérieur aux êtres"[4],	*P3wti r wnnt*
	est „antérieur à tous les êtres"[5].	*P3wti (tpi) r wnnt nbt / nti nb*
HEN *Wʿ*		Pyr.,1078e: „durch jenen Einen, der allzeit dauert"
	Il „existe avant que rien existe"[6]	*Ḫpr □ ḫpr ḫpr*
	Il est „lui au premier rang et lui au-dessus de l'être"[7].	*P3wti tpi / m-b3ḥ r /m-ḫnti nti*
	„ce sont les autres choses qui existent, après lui et par	*ḫpr (i)ḫt nbt* *ḫprw m šms.f / ḫprw r-s3.f /*

[3] Ennéades, V 4, 2.

[4] Ennéades, V 5, 5.

[5] Ennéades, III 8, 9.

[6] Ennéades, VI 8, 11.

[7] Ennéades, VI 8, 14.

	lui"[8].	*ntiw m šms.f*

La troisième colonne est un exercice qu'on peut donner à quiconque étudie ou a étudié la langue pharaonique. On peut faire cet exercice beaucoup plus rigoureusement, en demandant à l'intéressé de traduire Plotin:

1. dans la langue de l'Ancien Empire, en se servant des Textes des Pyramides (Pyr.) du IIIème millénaire;
2. dans la langue du Moyen Empire, en se servant des formulations des *Textes des Sarcophages* ou *Coffin Texts* (CT./TSE.) du début du IIème Millénaire;
3. dans la langue du Nouvel Empire, en se servant soit du *Livre des Morts* (TB.) soit des *Hymnes et Prières Thébains* de la deuxième moitié du –IIe millénaire;
4. dans la langue de la Basse-Époque;
5. en démotique ;
6. en copte ;
7. en Bantu ou en Woolof.

Les expressions et concepts utilisés dans la colonne égyptienne sont empruntés aux Pyr et aux CT, c'est-à-dire qu'ils datent des années 3000 avant Plotin. Le concept de l'Un (*Wꜥ*) est attesté dans les noms théophores d'avant l'Ancien Empire. Il date pratiquement du IVe millénaire.

Mais c'est surtout à partir des *Hymnes Thébains du Nouvel Empire* que le concept de l'Un est entré au centre des spéculations philosophiques kametiques. „Est entré" est une formulation adéquate dans

[8] Ennéades, VI 8, 10.

la perspective évolutionniste. Il nous semble cependant plus prudent de soutenir que la Pensée de l'Un est abondamment enseignée par de longs textes à partir du Nouvel Empire.

Les extraits plotiniens relatifs à la Primordialité de l'Un, nous rappellent une série d'extraits des Hymnes du Nouvel Empire[9].

Entre autres:

	- *jmj-b3h ...p3wtj*[10]	= „l'Un qui est au commencement ... Primordial".
	- *p3wtj ẖprw m-h3t*[11]	= „l'Un Primordial qui existe au commencement";
w^{c}	- *hr-hw.f hq3 ḏt*[12]	= „l'Unique de son espèce, Souverain de l'Eternité";
	- *ẖprw m-b3h ñn snnw.f*[13]	= „l'Un qui existe auparavant et qui n'a pas son second";
	- *jmj-b3h ... p3wtj jwtj [snnw.f]*[14]	= „l'Un qui est au commencement ... Primordial qui n'a pas son semblable";

[9] Nous suivrons les éditions et études critiques suivantes: J. ASSMANN, Sonnenhymnen in Thebanischen Gräbern (Theben I), Mainz, 1983 - en sigles: STG.; Id., Ägyptische Hymnen und Gebete, Zürich-München, 1975 - en sigles: ÄHG.; Id., Re und Amun. Die Krise des polytheistischen Weltbilds im Ägypten der 18.-20. Dynastie (OBO., 51), Fribourg-Göttingen, 1983 - en sigles: RuA.;A. BARUCQ, F. DAUMAS, Hymnes et Prières de l'Egypte ancienne (LAPO, 10), Paris, 1980 - en sigles: HPEA.; J. ZANDEE, De Hymnen aan Amon van Papyrus Leiden I 350, Leiden, 1948 - en sigles: AHL.

[10] STG., T. 68, 4-5. Nous modifions la transcription de J. Assmann en enlevant les traits d'union là où ils ne sont pas nécessaires et en rendant le n de négation par *ñ*.

[11] STG., T. 205, 3.

[12] STG., T. 102, 2.

[13] STG., T. 102, 3-4. Nous rendons le *n* de négation par ***ñ* / *Ñ***.

	- *p3wtj] rn.k*[15]	= „l'Un, Primordial est ton Nom";
w^{c}	- *wr p3wt-tpt*[16]	=„l'Un-Unique, Grand-Primordial du commencement";
$w^{c}w$		
w^{c}	*ḫpr ñn ḫpr pt ñn ḫpr t3*[17]	= „l'Un-qui-est Unique, ek-sistant alors que le ciel n'existait pas, que la terre n'existait pas (encore)";
$w^{c}.tj$		
Imn	- *ḫpr m h3t ñn rh bs.f*[18]	= „'Le Caché / L'Inconnu' qui existe au commencement, sans que son origine soit connue".

La première colonne nous montre que ces formules philosophiques se rapportent à l'Un. Elle nous montre aussi que l'Un porte plusieurs noms ou titres:

Wʿ :	„L'Un".
Wʿw :	„L'Unique / Qui est Un / Qui n'est qu'Un".
Wʿ-Wʿw :	„L'Un-Unique /L'Un qui demeure Unique"
Wʿ-Wʿti :	„L'Un étant Unique / L'Un qui n'est qu'Un / Uniquement Un / L'Un-Solitaire".

Il manque un titre très fréquent, voire le plus fréquent, mais qui n'intervient que dans les textes relatifs à l'articulation de la relation entre l'Un et les êtres multiples.

Il s'agit de:

14 STG., note a, p. 91; Urk. IV, 111.

15 STG., T. 212a, 23.

16 STG., T. 152, 5.

17 STG., T. 87, 5-6.

18 Cf. STG., p. 21 note i; Pap. de Leyde J-350, IV, 9-10

Nṯr-Wꜥ [19] „L'Un-Dieu", „Dieu-Unique", „Dieu qui est l'Un / est Unique" ; en grec : (ἐστι) θεὸς εἶς.

Nṯr-Wꜥ intervient plus de 9 fois dans le Corpus édité par Jan Assmann – Corpus STG. -.

Nous l'avons rencontré **6x** dans les Hymnes du Nouvel-Empire et **3x** dans ceux de la Basse-Époque.

Wꜥ(*w*), par contre, comme sujet de la phrase intervient **3x**, voire **6x** si nous comptions aussi *Wꜥ Wꜥw*, *Wꜥti* et *Ḫprw Wꜥw* dans les Hymnes du Nouvel Empire et **8x** dans ceux de la Basse-Époque.

On dirait qu'au cours de la Basse-Époque, le titre „Dieu-Un" ou „L'Un-Dieu", „Le Dieu qui demeure Un" (*p3 Nṯr-Wꜥ*)[20] a été ramené tout simplement à l'Un (*Wꜥ*).

Les autres variantes de *Nṯr-Wꜥ* sont:

Ḫprw-Wꜥ „Existant qui est Unique", „Être-Unique", „Qui vient Unique à l'Être".
„Qui demeure Unique", „Qui demeure Un", „Demeurant Un" (malgré les millions <HHw> issus de lui).

Très fréquent depuis les Textes des Pyramides est aussi le titre:

Nb-Wꜥ[21] „Maître-Unique" (utilisé au sens de Nb-Tm: „Maître de Tout", „Souverain de Tout")

L'idée de l'Un comme celui qui *„existe avant que rien existe"* et *„ce sont les autres choses qui existent, après lui et par lui"* est exprimée

[19] Cf. RuA., pp. 211-212.
[20] RuA., p. 211, TT 51.
[21] Pyr., 276c

dans la Patrie de Plotin (= Egypte) par une de plus belles et de plus concises formulations de la littérature philosophique:

Š3ʿ ḫpr	„Qui a inauguré/ commencé/ créé l'Existence (alors que)
ñ ḫpr ḫpr	„l'Ek-sistence n'existait pas (encore);
ḫpr nb jmj-ḫt ḫpr.f [22]	toute existence est postérieure à son Existence“.

La fréquence de cette thèse nous pousse à affirmer que les Ennéades, VI, 8, 10-11, voire VI, 8, 9-14 et V, 4, 2; V. 5, 5 traduisent en grec un postulat populaire de la Théologie Philosophique Pharaonique :

wtt ḏs.f	„Qui s'est engendré de lui-même
ñn ḫpr ḫprw	(alors que) non-existante était l'existence de
nb(*w*)[23]	tout ce qui existe“

§ 22. Thèse de la Transcendance absolue du Premier-Principe *(ḥrj tp jrt.n.f nbt)*

L'„Un Suprême, est au-delà de l'être“[24] et de l'étant. Il est „séparé“ (*ḏsr, ṯni*) et „au-delà“ (*ḥrj)* de tout[25]. Il n'est pas un „étant“[26], pas un

22 Transcrit à partir de la reproduction de H. GRAPOW, Die Welt vor der Schöpfung, in ZÄS., 67 (1931), p. 37.

23 Extrait des Hymnes à Ptah du Papyrus 3048 de Berlin, datant probablement de la 22ème Dynastie. Transcrit par nous en suivant le texte hiéroglyphique de W. WOLF, art. cit., p. 8. Voir aussi la traduction de HPEA., n° 118, XII, 8.

24 Ennéades, VI 6, 5; voir aussi V 5, 6 et V 4, 1.

25 Ennéades, V 3, 13.

26 Ennéades, VI 9, 3.

„Être“[27], pas un „est“[28], pas un „ceci“[29], pas „quelque chose“[30]. Il est „au-delà“ de l'Esprit[31] et de Dieu[32].

Développant cette thèse dans *Ennéades V I9*, Plotin insiste sur le fait que l'Un n'est ni la totalité des êtres (puisque, alors, il ne serait plus un), ni l'intelligence ni l'être; car *„l'être c'est toute chose“*[33]. Il n'est rien de tout ce qui est et *„rien ne peut être affirmé de lui, ni l'être, ni la substance, ni la vie“*[34].

Ce développement pouvait venir d'un enfant de l'école gardienne pharaonique qui avait appris que l'Un a „inventé“, „créé“ l'Existence alors que l'Existence n'existait pas. Il n'est pas à proprement parler l'Être, mais la source de l'Être, l'Engendreur de l'Être, de tout être.

La notion de la transcendance, du latin *trans-* „au-delà“, „de l'autre-côté“ + *cendere* „monter“, „s'élever“, privilégie la dimension de l'„écart vertical“. Elle ne souligne pas étymologiquement les autres perspectives rencontrées chez l'Égyptien Plotin.

En égyptien, par contre, cette notion de la transcendance est exprimée au moyen de différentes expressions, choisies en fonctions de quatre perspectives, de quatre dimensions de la transcendance véritablement absolue:

[27] Ennéades, V 5, 6.
[28] Ennéades, VI 7, 38.
[29] Ennéades, V 5, 6.
[30] Ennéades, VI 9, 3.
[31] Ennéades, V 3, 11.
[32] Ennéades, VI 9, 6.
[33] Cf. „Notice“ au chap. 9, 2 des Ennéades VI, p. 174 (éd. de 1954).
[34] Ennéades, III 8, 10.

a) „*verticale*“:	*ḥri r, ḥr(i)-ḥr(i), ḥri-tp, w3, q3 /k3y* et *ḏsr r*;
b) „***abyssale***, profondeur“:	*md r*;
c) „***horizontale***“ (= l'infinité-immensité):	*ʿ3, wr-wrw, ḥri r* et *ḏsr r*;
d) „***ontologique***“ (= différence ontologique):	*ṯni r, ḏsr r, sḥ3p*; etc.
e) „***méta-ontologique***“	*ñ ḫpr ḫpr, ñn wnn, š3ʿ nti*

Pour la Philosophie Pharaonique, l'Un est „au-delà“ de façon absolue, c'est-à-dire verticalement, horizontalement, abyssalement et ontologiquement.

A la question „*Transcendant par rapport à quoi ou à qui?*“, les Hymnes Thébains que Plotin ne pouvait ne pas connaître, répondent: par rapport à

„*tout **ce qui est en haut***“:	*ḥri r, ḥr(i)-ḥr(i), ḥri-tp, w3, q3 /k3y* et *ḏsr r*;
„tout *ce qui est* ***profondr***“:	*md r*;
„tout *ce qui est infini-immense*“):	*ʿ3, wr-wrw, ḥri r* et *ḏsr r*;
„***tout être***“ (= „différence ontologique“:	*ṯni r* , *ḏsr r* , *sḥ3p*; etc.
„*l'Être et au Non-Être*“ (transcendance ***méta-ontologique***)	*ñ ḫpr ḫpr, ñn wnn, š3ʿ nti*

En parlant de la transcendance, nous comprenons tous ces aspects, tout en insistant sur la „distance spatiale“ et la „différence ontologique“. Si l'on dit, par exemple, que l'Un est *ḥr-ḥr* „Eloigné-éloigné = infiniment éloigné“, la question est de savoir: „*Infiniment éloigné par rapport à quoi ou à qui ?*“.

La réponse des Hymnes est beaucoup plus claire et beaucoup plus précise que la réponse précédente. Il est absolument Transcendant, Éloigné, Autre, Sublime :

a) **par rapport à „tous les dieux"** *(r nṯrw nbw):*

- *ḥr.n.f sw r nṯr nb* [35] „il s'est élevé/ éloigné/ sublimé par rapport à tout dieu";
- *m-ḥrj nṯrw* [36] „qui est éloigné/ au-delà des dieux";
- *twt q3 r nṯrw nbw* [37] „Tu es *Sublimatus* / Sublime/ Très-Haut par rapport à tous les dieux".

b) **par rapport „aux esprits et aux morts"** *(3ḫw mwtw).*

- *jw.k ḥrt.tj r.sn* „Tu est tellement Transcendant par rapport à eux *(=3ḫw mwtw)*

ꜥ3-wr et infiniment Grand *(Unkulu-nkulu)*

ñ m3.sn ṯw.js[38] si bien qu'ils ne peuvent Te voir";

- *w3 sw r ḥrt* „Il est plus éloigné que le ciel-lointain

md sw r d3t[39] et Il est plus profond que la Douat".

c) **par rapport „à l'humanité"** *(r tmmw).*

- *b3.k m ḥrt ḥrw r tmmw*[40]	„Ton Ba est dans le Ciel-Lointain, Eloigné / Transcendant par rapport à l'humanité";

[35] STG., p. 22 note i.

[36] STG., TT. 23(15) II, 35.

[37] AHL., p. 616.

[38] Cf. STG., T. 1556, 3.

[39] STG., p. 155 note f (= papyrus Leyde J 350, IV, 117s).

[40] STG., T. 17, 13-14; voir aussi AHL., p. 620 (= Davies, Hibis, Tf. 32, 30-32) et ÄHG., Nr. 129, 152-170.

d) **par rapport aux „seigneurs du ciel et de la terre“** *(r nbw pt t3).*

- nṯrj.f r nbw [pt] t3 [41]	„Il est plus divin que les seigneurs du ciel et de la terre“.

e) **par rapport à „toute créature“** *(jrt nbt)*

ḥrj tp jrt.n.f nbt [42]	„Eloigné / Elevé au-dessus/ au-delà de tout ce qu'Il a créé“
- ḥrj tp jrt.n.f ḏs.f [43]	„Eloigné /Transcendant au-dessus de ce qu'Il a créé soi-même“ ou „Elevé au-delà de sa propre création“;

f) **par rapport à l'Être, à l'Existence** (*š3ˁ ntw*):

Š3ˁ ḫpr	„Qui inventé l'Existence,
ñ ḫpr(*t*) *ḫpr*	(alors que) l'Existence n'existait pas.
Ḫpr ḫprw nb(*w*)	Toute (forme d') existence existe
m-ḫt ḫpr.f [44]	à la suite de son Existence.
Jj m wˁ	Surgissant comme /venu en qualité de l'Un
tn(*n*)*w. sw m ḥḥf*	Il demeure [éminemment]$_{d}$ Distingué / Différent / Transcendant par rapport aux / parmi les multiples ou millions“.

Toutes les formes de la transcendance que nous venons de citer sont dans une certaine mesure relatives. Elles peuvent s'appliquer au

[41] STG., T. 17, 11-2.

[42] STG., T. 151, 20.

[43] STG., T. 158, 15; AHL., p. 1001.

[44] Urk. VIII, § 3b

Principe créé-créateur, c'est-à-dire au Premier Principe issu de ou engendré par l'Un, mais produit par l'Un pour être créateur des autres êtres. Ce Principe est appelé aussi: „Fils créé-créateur“ ou „Fille-créée-créatrice“ ou encore principe créé par l'Un pour devenir l'Être des êtres.

La radicalité de la transcendance est exprimée, à notre avis, par la rupture „méta-ontologique“ qui place d'un côté l'Un-Ineffable comme *Š3ͨ* et de l'autre l'Être [*Nt(y), Wn(n), Wn(n)t*, en luba *Ntu, Nto, Unt(u), Ont(o), Ant(u)*] ou l'Existence (*Ḫpr*).

L'Un n'est pas l'Être, n'est pas du registre de l'Existence, il est *Sha-Ntu* (*Š3ͨ Nti*), *Sha-Untu* ou *Sha-Onto* (*Š3ͨ-Wnnt*), *Sha-Cipola /Sha-Cipatula* (*Š3ͨ-Ḫprt*).

L'expression égyptienne *Š3ͨ-Wnnt* ou *Š3ͨ-Nt(w)* signifie „Inventeur de l'Être ou Créateur-Inventeur de Ce qui est“. Elle a le même sens en Luba. L'unique apport luba est le sens de „Père de l'Être“, „Père de Ce qui est“. L'Un (*Wͨ*) n'est pas l'Être, n'est pas Ce qui est, il est Père-Créateur de l'Être, *Sha-Ntu*[45], *Sha-Cipola* ou pour reprendre l'expression de Assmann, devenue également nôtre: *„Urzünder des Seins“*. En Luba, il y a aussi *Nina-Ntu, Nyna-Ntu* „Mère de l'Être“.

La transcendance „ontologique“ est également exprimée en égyptien à travers la mise en évidence de la singularité, de la simplicité de l'espèce de l'Un. Il est *špss-wͨ ñn wn hr-hw.f*[46] „Un-illustre, non-

[45] Cf. M. BILOLO, Méta-Ontologie Pharaonique au cours du -IIIème millénaire. Introduction à la Doctrine de *Sha-Ntu*

[46] Cf. STG., T. 232, 12. La traduction d'Assmann est: „einzig Erlauchter, von dessen Art es keinen Anderen gibt“. Voir aussi STG., T. 181, 22-27: *wͨ ñn hr.hw.f... Jmn nṯr-wͨ jwtj snnw.f*; T. 164, 5: *wͨ hr.hw.f... ñn snnw.f*; T. 223, 3; T. 102, 2; T. 29, 14; etc.

existant est un être de / dans/ sous son espèce". Elle est radicalisée surtout dans la *théologie négative,* comme c'est le cas chez Plotin. C'est ainsi qu'un autre passage dira de lui: *hrj.n.k tw h̲nj.tw ñn rh.tw.k*[47] „Tu t'es si éloigné et Tu es si proche, mais il n'existe pas qu'on Te connaisse".

§ 23. Thèse de l'Un comme celui qui a „l'être par lui-même" (*H̲pr sw d̲s.f*), comme „Maître de son être"

Parlant de l',,auto-production" de l'Un, Plotin note:

- „ le Premier qui vient de lui-même "[48];
- „se fait lui-même à la fois de son être et de son acte, c'est-à-dire de lui-même et de rien autre"[49]. Car,
- „l'être solitaire tire de lui-même tout ce qu'il est ...
ce qu'il est ne lui vient pas d'autrui;
sa nature même est d'être l'être"[50].
- Il „n'a pas de principe ... il est en lui-même, et il existe avant que rien existe"[51].
- „Il est donc absolument maître de lui,
puisque son être dépend de lui"[52];
- „il est cause de lui-même; il est lui, de lui-même et par lui-même"[53];

[47] STG., T. 253, 33.
[48] Ennéades, VI 8, 20.
[49] Ennéades, VI 8, 7.
[50] Ennéades, VI 8, 9.
[51] Ennéades, VI 8, 11.
[52] Ennéades, VI 8, 13.

- „Il a donc l'être par lui-même et de lui-même“[54];
- „Il ne tient donc pas d'un autre son être ni ses qualités. Il est par lui-même ce qu'il est“[55];
- Ce „sont les autres choses qui existent, après lui et par lui“[56].

Abordant l'objection soulevée par la tension ontologique entre „celui qui se produit lui-même“ (sujet) et „celui qui est produit“ dans l'acte d'auto-production ou d'auto-génération, Plotin donne une réponse très perspicace qui est aussi d'une grande utilité pour l'interprétation de cette même difficulté dans la pensée pharaonique:

„Il faut répondre qu'il ne doit pas être mis au rang d'un produit et qu'il est un producteur; sa production de lui-même est libre de toute entrave; elle ne vise pas à exécuter une oeuvre; elle est un acte qui n'exécute point un travail, mais qui est déjà lui tout entier; lui et sa production de lui-même ne sont pas deux choses, mais une seule“[57].

Ce que Plotin veut dire est qu'il faudrait interpréter le discours sur l'auto-génération en ayant à l'esprit le postulat égyptien de l'éternité de l'Un:

„S'il y avait un temps où il eût commencé d'être, on pourrait dire, en un sens propre, qu'il s'est produit; mais, s'il est ce qu'il est avant toute éternité, on veut dire, en disant qu'il s'est fait lui-même, que

53 Ennéades, VI 8, 14.
54 Ennéades, VI 8, 16.
55 Ennéades, VI 8, 17.
56 Ennéades, VI 8, 10.
57 Ennéades, VI 8, 20.

l'acte de faire et lui-même concourent; son être fait un avec sa production et, en quelque sorte, avec sa génération éternelle“[58].

Le passage de l’Un à l’Être-qui-est-Un (*Ḫpr-Wꜥ*)[59] est pensé, dans la philosophie fondamentale pharaonique, non pas comme le passage de l’Unité/Unicité à la Dualité, mais comme nous l’avons souligné, le passage de l’Un-Clos à l’Un-Ouvert, de l’Immobile à l’Actif, de l’Un sans la création à l’Un-Créateur. Ce passage est un „Réveil“, une „auto-activation“, une „auto-manifestation“ de l’Un et non un acte d’engendrement de la Dualité.

C’est ainsi qu’on peut lire dans CT. IV, sp. 335:

Ink Rꜥ	Je suis Rê / Ra
I(nk) Tm	Je suis Atum „Totalité-Rien“, „Être-et-Non-Être“, „Être-Surabondant-et-Être-Vide“
Wnn.i wꜥ.kwi	lorsque je suis seul/solitaire/ Un
Ink Rꜥ	Je suis Rê
M ḫꜥw.f tp(iw)	dans son apparition primordiale
Wbn-f m3ḫt	lorsqu’il se lève à l’horizon
Ink ꜥ3 ḫpr ḏs-f[60]	Je suis le Grand qui existe de et par lui-même“.

Les *Hymnes Thébains*, ayant hérité du début de l’Ancien Empire le postulat de l’auto-création, de l’auto-engendrement du Maître de Tout, du Maître Unique, vont célébrer philosophiquement et théologiquement cet aspect de l'Un. Ils ont, à notre avis, atteint le som-

[58] Ennéades, VI 8, 20. On peut aussi lire à ce sujet PLOTIN, Über Ewigkeit und Zeit (Enneade III 7). Übersetzt, eingeleitet und kommentiert von Werner Beierwaltes, Frankfurt am Main, 1967.

[59] En Luba actuel: *Cipatula ne Cipatuke nkAy.*

[60] C’est nous qui transcrivons. Voir aussi M. BILOLO, Métaphysique Pharaonique, p. 118.

met de la Pensée de l'Un et de la Pensée de l'Acte d'Auto-Création de l'Un:

- *š3ᶜ.f sw* [61]	„Il s'est inauguré/ s'est inventé“
- *wtṯ ḏs.f* *ñn ẖpr ẖprw nb(w)* [62]	„Qui s'est engendré soi-même (alors que) l'existence de tout ce qui existe n'existait pas (encore)“.

L'Un-*Wᶜ* dit aussi

ẖpr ḏs.f	„Ek-sistant par soi-même“ ou
ẖpr sẖpr sw ḏs.f	„Être qui se laisse/ se donne l'existence lui-même“ (est également considéré comme)
p3wtj n ḏt	„Primordial de l'éternité“, „Primordial parce qu'Eternel“, et
smsw n phwj nhh[63]	„L'Ancien qui est aux confins de l'éternité“, (c'est-à-dire) „L'Eternel“.

61 RuA., p. 198 (= Pap. de Leyde I-350, IV, 11). Un autre texte lui fait dire: *ink is Hprw ẖpr* ḏs.f, „Je suis vraiment / certainement l'Être qui ek-siste de (par) lui-même“ (Cité selon la transcription de G. LEFEBVRE, Grammaire de l'égyptien classique, Paris, 2e éd. revue, 1955, p. 296 § 604); voir aussi M. BILOLO, in: APA. I, 1, p. 138-139.

62 Extrait des Hymnes à Ptah du Papyrus 3048 de Berlin, transcrit par nous à partir du texte hiéroglyphique reproduit par W. WOLF, L'hymne à Ptah de Berlin, in ZÄS., 64 (1929), p. 17-44, 44; voir aussi M. BILOLO, Le Créateur et la Création dans la Pensée memphite et amarnienne (APA.I 3), Kinshasa-Libreville-Munich, 1988, p. 117. Sur *ẖpr* ḏ*s.f*: STG., T. 14, &; T. 16, 8; T. 68, 10; T. 114, 10-11; T. 158, 59; etc.; sur *msjw sw* ḏ*s.f* : T. 16, 10; T. 22, 16; T. 129, 5; T. 148, 2; T. 227, 13; T. 232, 5; etc.; sur *nbjw sw* ḏ*s.f* : T. 18, 6; T. 54, 3; T. 83, 1; etc.>.

63 Cf. A. BARUCQ, L'expression de la louange divine et de la prière dans l a Bible et en Egypte, Le Caire, 1962, p. 181 note 20 (= Brit. Mus. 551, 15).

L'éternité n'a pas de limites. C'est un adynaton[64]. L'Un est non seulement *Nb-nḥḥ* „Maître de l'Éternité", mais il est aussi l'„Eternel":

- *Nḥḥ wnn.k* — „Infinité est ton Être / Ton Existence est Infinie"; (= Tu es l'Infini)
- *ḏt ssm.k* [65] — „Eternelle est ta Nature" / Ton Essence / Forme est Eternité" (= Tu es l'Éternel ou l'Éternité).

Le „model" (au sens de Ramsey) ou la métaphore-métonymie qui conduit à la „disclosure" de cette éternité est celui du soleil: le soleil „existe" indépendamment et avant son surgissement à l'horizon comme Khepri ou comme Créateur de soi-même, de son propre Être, Créateur de tout ce qu'Il est[66].

Il faut entendre le „Tu es l'Être" ou „Tu es l'Ek-sistant" au sens du „Méta-Être" et „Méta-Non-Être". En Luba actuel, on dira. *Utu Sha-Ntu* (Tu es Père de Ce qui est) ou *Utu Nyi-na-Ntu* ou encore Utu *Mwa-Ntu* (Tu es Mère de l'Être). Car l'Un (*Wʿ* > *Oya, Aya, m-We*) est au-delà de l'Être et au-delà du Non-Être. A strictement parler, l'Être-Primordial ou l'Être-Suprême est une Manifestation de l'Un, est le Soleil de l'Un.

La nuance est que le Soleil de la Nuit (*Tm, Itm,* Atoum) et le Soleil du Jour (Ra) représentent deux aspects du même et de l'unique So-

[64] Cf. J. ASSMANN, Zeit und Ewigkeit im Alten Ägypten, Heidelberg, 1975, p. 11, 20-21.

[65] STG., T. 17, 43-44: „Dein Sein ist die unendliche Zeit, die unwandelbare Dauer ist dein Abbild".

[66] Cf. *ḫpr ḏs.f*: STG., T. 14, &; T. 16, 8; T. 68, 10; T. 114, 10-11; T. 158, 59; etc.; sur *msjw sw ḏs.f* : T. 16, 10; T. 22, 16; T. 129, 5; T. 148, 2; T. 227, 13; T. 232, 5; etc.; sur *nbjw sw ḏs.f* : T. 18, 6; T. 54, 3; T. 83, 1; etc.>.

leil. L'aspect n'est pas une qualité de l'Un, mais la perspective à partir de laquelle l'Être ou l'Existant aperçoit, entrevoit l'Un.

Nous faisons souvent appel dans nos publications, cours et conférences sur la Méta-Ontologie Pharaonique ou sur la Méta-Cheperologie *à la nuance entre l'Un-Clos et l'Un-Ouvert.* Les Egyptiens faisaient aussi appel aux métaphores de l'Un-Immobile ou -Inerte (*Nni*) et de l'Un-Actif ou –Vivant (*ʿnḫw*).

Les textes égyptiens ne parlent pas seulement de l'Un, de l'Être qui se donne l'existence (*sḫpr*) de lui-même à la troisième personne, mais ils le laissent aussi parler:

Ink ʿ3 ḫpr ḏs-f[67]	Je suis le Grand qui existe de et par lui-même".
Ink is Ḫpri ḫpr ḏs-f[68]	Je suis vraiment Khepri „'L'Être / l'Ek-sistant' qui existe de et par lui-même".

Lorsque Plotin l'Égyptien apprend aux Grecs et aux Romains que le Principe (*P3wti*) „ne tient donc pas d'un autre son être ni ses qualités" et qu' „Il est par lui-même ce qu'il est", il ne fait que commenter sans effort les hymnes de sa terre natale:

šḫpr.n.i ḫʿ.i m 3ḫ.j[69]	„Je fais exister 'mon corps' dans / par mon esprit / grâce à mon efficacité spirituelle" = „Je me suis créé moi-même dans „ma conscience lumineuse" / dans „mon Intelligence rayonnante" = „Je me suis créé moi-même dans et par la

67 C'est nous qui transcrivons. Voir aussi M. BILOLO, Métaphysique Pharaonique, p. 118.

68 C'est nous qui transcrivons. Voir aussi M. BILOLO, Métaphysique Pharaonique, p. 118.

	puissance de ma lumière / grâce à ma 'Strahl-kraft'".
Iri.n.k is ḫprw.k (m ṯ3w)[70]	„Tu as fait certes „ton être" (comme le vent)" = „Tu as certainement créé „ton être"/ „ta forme d'être" comme l'air / pneuma" = „Tu t'es certes fait exister du Vide, comme le Vide/Vent"
ñn it.f <=k!>	Non-existant est son (ton!) Père
wtṯ.tw	qui aurait pu t'engendrer
ḫpr.k	quand tu vins à l'existence
(traduction libre)	Ton Père qui aurait pu t'engendrer n'existait pas, au moment où Tu es venu à (l')Être = Non-existant est Ton Père, Ton Engendreur ou Ton Existencificateur (*ḫpr.k* au sens de *sḫprw*).
! mwt.k	Non-existante est ta Mère
mś.sw	qui t'ait mis au monde = Ta Mère qui aurait pu t'enfanter n'existe pas = Non-existante est ta Mère, est (ta) Génératrice
ẖnm.k ḏs.k[71]	Tu t'es modelé (de) toi-même

Les modèles au sens de Ramsey de „Lumière", du „Rayonnement", de „*Strahlkraft*" (*3ḫ*), de l'Air ou du Vent (*šw*) signifiant aussi le Vide et du Soleil sont fondamentaux pour saisir la Philosophie

69 CT. CT. VI, 714.

70 Cf. STG., T. 186, 28; voir aussi T. 17, 28; T. 161, 17; T. 15, 9.

71 Extrait des Hymnes à Ptah du Papyrus 3048 de Berlin, transcrit par nous à partir du texte hiéroglyphique reproduit par W. WOLF, L'hymne à Ptah de Berlin, in ZÄS., 64 (1929), p. 17-44, 44; voir aussi M. BILOLO, Le Créateur et la Création dans la Pensée memphite et amarnienne (APA.I 3), Kinshasa-Libreville-Munich, 1988, p. 117.

Théologique ou Hénologique de tout Égyptien ou de toute Égyptien, et par conséquent, pour saisir le langage et les commentaires du philosophe égyptien Plotin.

§ 24. Thèse de l'Un comme „Origine" de tout (*š3ᶜ-wnnt / -ḫpr*)

Le Premier qui existe de lui-même (*ḫpr ḏs.f*) est la condition de possibilité de l'Être (*Wn(n), Wnt, Nti, Ḫpr, Ḫprt*), l'„Origine de tout être", *„onto-tokos"* ou en Égyptien et Luba: ***š3ᶜ-wnnt,*** *Sha-Ntu, Sha-Unt(u)*[72].

Résumant cet aspect dans une étude de 1879, Pierret avait retenu les extraits suivants égyptiens :

- „Il est le formateur de ce qui a été formé(*ḫpr ḫprw*), mais lui, il n'a pas été formé (*ñ ḫprw*). Il est le Créateur du Ciel (*Pt*) et de la Terre (*T3*)"[73].
- „Il a fait les êtres et les choses"[74].

[72] Soit dit en passant, l'*onto-tokos* n'est pas *Sha-Onto,* car il y a dans Sha / She (variantes dans d'autres langues Nto/ Ntu: Se, So,Sa; Sh') luba, le sème de la paternité. *Onto-tokos,* insiste, par contre, sur le sème de la maternité: „Mère de l'Être ou de l'Existant", en Luba: *Ma(u)-Ntu, Ma-Onto, Ma(u)-Untu* (*>Muuntu / Munto*), en Égyptien: *Mwt-Ntw, Mwt-Ntiw* „Mère des êtres", *„Mwt-Wn(n)t"* „Mère de Ce qui est, Mère de l'Être". „W" est une transcription conventionnelle de „U /u". Pour simplifier l'écriture, on peut transcrire le titre égyptien comme suit: *Mwa-Ntu, Mut-Ntu, Mu(t)-Nt, Mut-Unt.* Étant donné que la marque du fémin „.*t*" disparaît de *Mut* en copte pour nous donner ⲙⲁⲁⲩ, en écriture lisible pour la majorité: **Maau** avec le même sens que Maau, Mâu. La „Mère de" est aussi appelée en Luba : *Ni-na (>Nina)* ou *Nunu.* Mais ce dernier terme désigne dans notre région aussi bien le père que la mère primordial(e), très vieux ou très vieille.

[73] Catal. Du Musée de Lyon, Stèle 88; cité selon Paul PIERRET, Essai sur la mythologie égyptienne, Paris, 1879, p. 8-9. L'original égyptien est reproduit en hiéroglyphes; c'est nous qui faisons la transcription des termes qui nous semblent philosophiquement importants.

- On l'adore „en son Nom d'éternel fournisseur d'âmes aux formes"[75].
- „Tout ce qui vit (*ˁnḫ.w nb.w*) a été fait par (le Bon-) Dieu lui-même (*irt n nṯr (-nfr) ḏs.f*)"[76].

En lisant *nfr(w) nṯr* ou *nṯr, nfr ḏs.f,* on obtient une traduction plus philosophique :

- „Tout ce qui vit (*ˁnḫ.w nb.w*) a été créé par la Bonté de Dieu lui-même" ou „par le Dieu, le Bon-Beau-Bien lui-même (*nṯr, nfr ḏs.f*)"[77].

Initié à ou éduqué dans cette conception de l'Unique, Origine de tout ce qui est, Plotin la transmet à ses disciples, en termes plus proches de et plus fidèles à l'original.

L'Un, enseigne-t-il, est :

- l'„*Arché*"[78],
- „le principe de la multiplicité" [79];
- l'„Origine" qui englobe tout[80],
- Principe „d'où tout tire son existence[81];

74 Dendérah I, 68; cité selon P. PIERRET, Essai sur la mythologie égyptienne, p. 8.

75 Chabas, Maximes d'Ani II, 35; cité selon P. PIERRET, Essai sur la mythologie égyptienne, p. 9.

76 Champoll. Cat. II, 328; cité selon P. PIERRET, Essai sur la mythologie égyptienne, p. 8. C'est nous qui transcrivons.

77 Il y a une nuance entre être créé par le „Bon-Dieu" (*nṯr-nfr*) et être créé le „Bien lui-même", le „Bon lui-même" (*nfr ḏs.f*).

78 Ennéades, V 3, 11.

79 Ennéades, III 8, 9.

80 Ennéades, V 5, 9.

- „principe de toutes choses"[82],
- „Principe" premier de la Vie, de l'Esprit et de l'Être[83];
- „tous les êtres viennent de lui"[84];
- „s'il n'est pas, rien n'existe"[85];
- „C'est par l'Un que tous les êtres ont l'existence"[86];
- „tout être est son effet, l'Un est avant tout être"[87];
- „Engendreur" de l'Être ou des êtres[88].

Son unité et unicité est la condition même de possibilité de la multiplicité ou du „Multiple"[89].

Le sens de la désignation „Un" (*Wꜥ, m-Wꜥ* > um-We) est effectivement l'attention qu'elle attire sur le fait que ce „Premier Principe" est la „négation" de la multiplicité ou du Multiple[90].

C'est cela qui ressort plus clairement des passages suivants:

„Le principe n'est pas l'ensemble des êtres, mais tous les êtres viennent de lui; il n'est pas tous les êtres; il n'est aucun d'eux, fin qu'il

81 Ennéades, III 8, 9.

82 Ennéades, V 2, 1.

83 Ennéades, I 6, 7.

84 Ennéades, III 8, 9.

85 Ennéades, III 8, 10.

86 Cf. Ennéades, VI 9, 1: „il n'est aucun d'eux, afin qu'il puisse les engendrer tous".

87 Ennéades, V 4, 2.

88 Ennéades, III 8, 9.

89 Ennéades, V 5, 12; V 3, 12 et 15. Lire à ce sujet: W. BEIERWALTES, Selbsterkenntnis und Erfahrung der Einheit. Plotins Enneade V 3. Text, Übersetzung, Interpretation, Erläuterung, Frankfurt am Main, 1991.

90 Ennéades, V 5, 6.

puisse les engendrer tous; il n'est pas une multiplicité, afin d'être le principe de la multiplicité“[91]; etc.

Ce dernier passage reprend HPEA., n° 79, 6:

- „*Tout être vint à l'être lorsque son être commença d'être*“ ou encore HPEA., n° 79, 7:
- „*Il n'y a rien en dehors de lui*“.

L'ensemble du discours de Plotin sur l'Un comme Origine de tous les êtres apparaît cependant comme une traduction des textes de son pays natal. Aux textes précités, ajoutons ces extraits thébains :

- *jrjw ntt qm3w wnnt*[92]	„Qui fait ce qui est, qui a créé l'Etant“;
-*jrjw ntj nb jrjw wnnt*[93]	„Créateur de tout ce qui est et de l'étant“;
- *jrjw nṯrw*[94]	„Créateur des dieux“;
- *jrj tmmw*[95]	„Qui a fait/ créé l'humanité“
- *qm3w wnnt nbt*[96]	„Créateur de tout étant, de tout ce qui est“.
- *wʿ wʿw qm3w wnnt*[97]	„Un qui demeure Unique et qui a créé l'étant ou l'être“.
- *Nb nty wnn.n.f iwty*[98]	„Maître de ce qui est, à qui appartient

[91] Ennéades, III 8, 9.

[92] STG., T. 130, 6.

[93] Pap. Boulaq 17, 6, 2-3.

[94] STG., T. 155, 4.

[95] STG., T. 41 (8); T. 155, 4.

[96] STG., T. 13, 5.

[97] RuA., p. 215; voir aussi STG., T. 151, 21-22 et note o, p. 196: *twt wʿwjriw nti nb / wʿ wʿw iriw wnnt* (= Pap. Boulaq, 17, 6, 2-3).

ce qui n'est pas encore (encore)".

La thèse: *„s'il n'est pas, rien n'existe"* est une répétition de la thèse thébaine: *„Il n'y a rien qui existe sans lui"*[99] ou „Sans Lui, rien n'existe".

Une différence cependant mérite d'être soulignée: Plotin se sert plus des verbes „faire" (*iri*)[100], „engendrer", „faire naître" (*msj /wtṯ*) et „produire", „provenir" ou „venir", „émaner" de (*pri- / ii-m*) que des verbes „créer" (*qm3*), „donner l'existence ou existentialiser" (*sḫpr*), ou „initialiser, catapulter, allumer, déclencher l'existence ou l'être", etc.

L'Un, enseignent les Penseurs Thébains, est l'Esprit (*Ba*)-Auguste qui existait au Commencement, Primordial qui a mis au monde les primordiaux. Il est le Dieu-Unique Créateur de millions ou il est le Dieu-Unique qui a créé et crée des millions, c'est-à-dire une infinité des êtres multiples[101].

98 STG., p. 94 note c.

99 HPEA., n° 121, 3. Lire de préférence les lignes 2-4: „Primordial, qui a fait la vie des humains. Ce qu'il a dit en son coeur on l'a vu venir à l'existence; (lui) qui annonce ce qui n'existe pas encore, qui renouvelle ce qui existe déjà. Il n'y a rien qui existe sans lui. Les choses viennent à l'existence quand il est venu à l'existence".

100 Qu'il nous soit permis d'exprimer ici un certain doute sur la traduction du verbe *iri*, généralement rendu par „faire", par „créer" au sens de „fabriquer". ***Iri*** est encore d'usage de beaucoup de langues bantu. Il correspond au luba *lwa* „venir", „devenir" ou plus exactement à *luish, lwis* „faire venir", „laisser être", „laisser sortir ou venir". Les Luba de l'Est utilisent encore la forme *Rwa*. C'est un verbe très technique qui se passe entre *ḫpr* et *wnn*. Les êtres créés sont considérés comme les *bi-lua, bi-rua, urwa,* c'est-à-dire les „devenus", les „émanations".

101 Cf. HPEA., n° 80, 1-4.

§ 25. Thèse de l'„infinité“ de l'Un (*ñn d̠rw.f / wr-wrw*)

La clarière de l'„infinité“ de l'Un joue un grand rôle dans le débat sur l'origine de l'hénologie plotinienne. C'est pourquoi nous allons nous arrêter un peu plus longuement sur cet aspect.

Selon Plotin, l'Un est l'„Amorphe“ et l'„Indéterminé“ qui est la condition de possibilité de toute forme et de toute détermination / délimitation: *„l'Un est sans forme; c'est ainsi qu'il peut produire la forme“*[102]. Contrairement aux Étants, l'Un n'a pas des limites. Il est „in-défini“ et „infini“[103].

C'est cette conception non-parmédienne, voire non platonicienne, mais qui fonctionne comme un lieu commun dans le néoplatonisme, qui est souvent au centre de la discussion sur l'origine de l'hénologie plotinienne.

Mais que disent les Hymnes Thébains du Nouvel Empire et du début de la Basse-Epoque à ce sujet?

Dans les Hymnes Thébains du Nouvel Empire, l'Un se révèle comme l'Unique qui est „au-delà“ de l'espace, comme l'Unique qui soit sans limites.

Il est :

- *nt̠r-ˁ3 ñn d̠rw.f*[104] =„Grand-Dieu qui n'a pas ses limites“
  =„Dieu-éminemment-Grand, ses limites n'existent pas“

[102] Ennéades, VI 7, 18; voir aussi V 5, 6.

[103] Ennéades, VI 9, 3. Lire aussi II, 4, 15; III, 8, 8; III, 9, 5 et VI, 4-5.

[104] STG., 42a, 11.

Il est „Illimité", „Infini" comme est infini son champ d'action. C'est pourquoi, on l'appelle aussi:

- „*nb - r - d̠r*"[105]	„Seigneur Universel", „Maître jusqu'à la limite", „Allherr" ;
- *wr-wrw*	„Le Grand-des-grands".
- *3wj.f wsh.f ñn d̠rw.f*[106]	„Sa longueur ou sa largeur (= son extension) n'a pas sa limite" ou
	„Sa durée temporelle et son extension spatiale sont sans limites";
	„Non-existantes sont les Limites de sa Longueur et de sa Largeur"

Ce dernier passage nous montre que la problématique de l'infinité est intimement liée à celle de l'éternité.

Nous constatons que l'infinité est exprimée par une périphrase: *ñn d̠rw.f* „non-existante est sa limite" ou *ñn d̠rw* „limites non-existantes", périphrase ou expression qui s'applique aussi à l'éternité (*nḥḥ ñn d̠rw.f*). La non-existence des limites peut être temporelle ou spatiale. Certes, dans le contexte de *nt̠r-ᶜ3 ñn d̠rw.f*[107] „Grand-Dieu qui n'a pas ses limites", nous pouvons déduire que *ñn d̠rw.f* se réfère à l'extension spatiale. Mais cela ne fait que prouver le double-usage de cette expression. Ce double-usage se retrouve aussi dans le passage suivant:

[105] Cf. STG., p. 213 note e.

[106] Cf. RuA., p. 208; p. 212, ex. 10 et ex. 18.

[107] STG., 42a, 11.

- ***Hhw*** *pwjj ñn rḫ.tw d̲rw.f*	- „C'est Hehou, il n'existe pas qu'on connaisse sa limite“
	- C'est l'Infini / l'Illimité / l'Eternel, il n'existe pas qu'on connaisse ses limites;
ḫprr ñn rḫ.tw d̲t.f[108]	Khepri / Existant, il n'existe pas qu'on connaisse son corps“.

Nous sommes ici en présence d'une de rares passages dans lequel l'Un est appelé ***Ḥḥ*** au sens de l'„Infini-Illimité“ et de l'„Infini-Eternel“. Ce sens se fonde sur les deux „qualifiers“: *ñn rḫ.tw d̲rw.f* „il n'existe pas qu'on connaisse ses limites“ et *ñn rḫ.tw d̲t.f* „il n'existe pas qu'on connaisse son corps“. Ce deuxième „qualifier“ montre que l'Un aperçu comme „Infini, Illimité“ ne devient pas synonyme de „Tout“, de „Tout corps“. Il ne devient pas non plus „Impersonnel“. Il demeure l'Un avec „son propre corps illimité“ qu'on ne peut ni connaître (incogniscibilité) ni saisir (insaisissabilité). Car il est comme le „Vide“, l'Air ou comme le Vent (*Šw*).

Cette „non-existence de sa limite“ (*ñn d̲rw.f*) soulève d'une part le problème de l'„espace de son surgissement“, car il y a des textes qui disent qu'il „serait venu à l'être“, et d'autre part, le problème de la „position“ du limité par rapport à l'illimité. Autrement dit, où était l'Un au moment où l'existence n'existait pas encore, au moment où il ne s'était pas manifesté, créé comme Être-Primordial ou comme

108 RuA., p. 215, note 90 (= Stele Leiden V 70 ed. Boeser, Beschr. V 17. XIV Nr. 26).

Dieu-Créateur? Et si ses limites n'existent pas, où existeraient alors les êtres créés ou les millions issus de lui?

A la première question, certains textes répondent: „*Il n'y a point de lieu d'où il soit sorti*". Il existe, est venu à l'être, sans venir de quelque part. Le contexte nie aussi bien une „origine personnelle" que „matérielle":

„Il a lui-même modelé son corps.
Il n'y a point de père qui ait engendré son être,
il n'y a point de mère qui l'ait mis au monde,
il n'y a point de lieu d'où il soit sorti" [109]**.**

Pour comprendre le sens de cette réponse, il faudrait savoir que la „naissance de l'Être", le „surgissement du Dieu-Créateur" est à comparer au „réveil de l'esprit", au passage du „clos" à l'„ouvert". Plus profondément, cette réponse prévient contre toute tentative d'aller „au-delà". Elle est plus précise que cette autre réponse: Celui „*dont on ignore l'origine*"[110].

Car, l'aveu de l'ignorance est corrélatif à l'aspiration vers la connaissance, à la poursuite de la recherche sur le „mystère de son origine". C'est ainsi qu'un autre hymne se sert d'une tournure à double-sens, afin d'exprimer aussi bien l'incogniscibilité de son origine que l'impossibilité de le situer dans l'espace:

qm3w-sw msiw-sw <u>ds</u>.f	„Qui s'est créé et engendré lui-même

[109] HPEA., n° 81, D. V, 1-2.
[110] HPEA., n° 79, 4.

ñn-rḫ-tw-bw ḫpr.f -jm[111]	Non-existante est la connaissance du lieu où il est" = „Il n'existe pas qu'on connaisse le lieu dans lequel il est venu à l'être" -"On ne connaît pas le lieu dans lequel il existe".

Comme la dernière possibilité de traduction de ce passage le montre, on ne peut pas dire, même dans le présent, „le lieu où / dans lequel il est".

L'infinité de l'Un nous place ainsi au seuil de la théologie négative. Les formulations relatives à la non-existence de son lieu de surgissement libèrent la pensée de la tentative de localisation de l'Un:

- „*On ne connaît pas le lieu dans lequel Il existe*",
- „*dont on ignore l'origine*" ou
- ***„il n'y a point de lieu d'où il soit sorti"*** ... etc..

L'Un n'est nulle part et ne vient de nulle part.

A la deuxième question, la réponse suit le raisonnement devenu classique dans l'histoire de la philosophie: puisque ses limites n'existent pas (*ñn ḏrw.f*), la conséquence logique est qu'il est partout et dans tout être, qu'il est *mn m (i)ḫt nb(t)* „(celui) qui subsiste en toute chose". Dohet illustre cette „omniprésence" par cet exemple poétique:

„Il ne lui en coûte pas plus de peupler les espaces, que de faire monter la sève d'un brin d'herbe au fond d'une forêt; pas plus d'entretenir

[111] Cf. STG., 22, 16-17

le feu de la dernière étoile, que de soutenir d'un grain sur une grève déserte“[112].

Ce qui est créé, le multiple, n'est pas dans une „extériorité spatio-temporelle“ à l'Un-Infini. Une telle „extériorité“ renviendrait à la délimitation ou à la négation de son infinité. L'Un-Infini-et-Illimité „comprend“, au sens premier, aussi bien l'Etant-**là** que l'espace et le temps, le *nḥḥ* et *ḏt*. Il est l'Illimité (*ñn ḏrw.f*) limitant ou délimitant „tout ce qui est et tout ce qui n'est pas (encore)“. Un texte relatif au modèle „Noun“ exprime métaphoriquement cette idée en disant:

> *„Le Noun qui vient du sud et le vent du nord sont à l'intérieur de ce dieu mystérieux*“[113].

Texte qu'on pourrait aussi traduire par:

> *„Le Noun surgissant, le vent du sud et le vent du nord, sont à l'intérieur de ce Dieu Mystérieux*“.

Aussi bien l'Eau primordiale qui surgit comme Nil/ Océan que l'air ou le vent (*šw*, *ṯ3w*) sont à l'intérieur de l'Un.

Ce passage véhicule un enjeu fondamental. Il neutralise l'Un *mn m (i)ẖt nbt* „qui demeure / est stable en toute chose“ (affirmation de l'immanence) par „toute chose est dans l'Un“ (affirmation de la transcendance, voire de *„pan-en-hénoïté*“). Ce faisant, il ne substitue pas le panthéisme au panenthéisme, mais il souligne plutôt le paradoxe de son immanence et de sa transcendance. Cet enjeu est brillamment formulé par Beierwaltes dans le passage que voici:

112 P. DOHET, L'irréprochable providence, 6e éd., Bruges, s.d., p. 25.

113 HPEA., n° 79, 35-36; voir aussi la note w) de Barucq-Daumas, p. 260: „Tous éléments du cosmos, fût-ce le plus opposés, sont à l'intérieur du dieu“.

„que l'Un soit à la fois partout et nulle part, rend impossible aussi bien une pure immanence qu'une pure transcendance. Au contraire, l'Un est, à cause de sa puissante richesse illimitée, est dans tout être / tout étant et en même temps, en tant que Fondement universel et Origine, il est au-dessus de tout. L'être-dans toute chose, dans tout être [mn m *(i)ḫt nbt*] de l'Un ne lève nullement son être-sur / son être au-dessus [*ḥrj-tp / ṯnw r*], il en est, au contraire, l'accomplissement **ad extra**. En tout (ou partout), il est toujours en soi-même“[114].

Nous citons ces commentaires pour montrer combien l'herméneutique de l'hénologie plotinienne peut contribuer à une meilleure saisie de l'hénologie thébaine que Plotin lui-même commentait pour les étrangers. Ces commentaires illustrent aussi combien l'Hénologie Thébaine peut contribuer à une meilleure intelligence de ses propres échos dans la pensée grecque ou des limites de sa réception par Platon.

Nous avons eu un entretien philosophique avec Beierwaltes à Munich, il croyait que les textes thébains cités seraient une invention de Jan Assmann. Ce qui montre l'étonnement dans lequel les Hymnes Thébains placent les interprètes de Plotin. Beierwaltes commentait, jusqu'à notre rencontre, la Pensée Thébaine, mais sans le savoir.

Ceci dit, revenons à notre examen de l'infinité de l'Un.

[114] W. BEIERWALTES, in: PLOTIN, Über Ewigkeit und Zeit (Enneade III 7). Übersetzt, eingeleitet und kommentiert von Werner Beierwaltes, Frankfurt am Main, 1967, p. 19-20. Les expressions égyptiennes viennent de nous.

Le **là** de l'étant-là (*wn(n) / wnt / wnnt / ḫprt / nti*), le **là** où il est, le **là** dans lequel il est, est dans l'Être-qui-est-Un (*Ḫprw-wˁ*) et non en-dehors de lui. Il est *là* „dans“ *Ḫprw-wˁ* sans être ni *Ḫprw-wˁ* ni une partie de celui-ci. C'est dans l'Un qui est Infini et infiniment Un que le *wn(t), wnn(t), nti* ou *ḫpr*(*t*) „ce qui est / ce qui existe“ est séparé, différent et non „extérieurement“. P. Dohet exprime cette idée en disant: „*Rien n'est trop grand ni trop petit pour l'Infini; rien ne l'absorbe, rien ne l'emplit, rien ne le déborde*“[115].

L'infinité de l'Un dans les *Hymnes* Thébains du Nouvel Empire se caractérise aussi par des dimensions que Halfwassen avait mises en évidence à partir des textes de Speusipp:

> „Neben der Bedeutung als Unfaßbarkeit [Imn]qua Unmeßbarkeit [*ñn ḏrw.f]* hat ‚Unendlichkeit' [*ḥḥ* / *Nḥḥ*] sodann eine zweite, elementenphilosophische Bedeutung als absolute Grenze, d.h. als ursprünglich-erstes Begrenzendes, das selbst durch kein anderes Begrenzendes außer ihm mehr begrenzt wird“[116].

C'est-à-dire:

> „L'Infinité [*ḥḥ* / *Nḥḥ*] a aussi, à côté du sens de l'insaisissabilité [*Imn*], voire incommensurabilité [*ñn ḏrw.f*], un deuxième sens philosophique élémentaire [117] ou principiel comme limite absolue, c'est-à-dire, comme primordialement Premier-Limitant qui ne peut-être limité par un autre Limitant en dehors de Lui“.

115 P. DOHET, op. cit., p. 25.

116 J. HALFWASSEN, Speusipp und die Unendlichkeit des Einen ... , p. 61.

117 PLOTIN, Über Ewigkeit und Zeit (Enneade III 7), p. 20; voir aussi W. BEIERWALTES, Selbsterkenntnis und Erfahrung der Einheit. Plotins Enneade V 3 ..., p. 216-217.

L'Un est la Limite absolue, le Premier-Limitant, *„der umfassende Grund und Ursprung über Allem"* [118] (= le Fond englobant et l'Origine de tout) dira Beierwaltes à la suite de Plotin. Il est la „Limite-Englobante" qui n'a plus un „autre limitant" en dehors de lui. Autrement dit, l'Un étant „sans limite" (*ñn drw.f*), il ne peut pas non plus exister un être capable de le contenir, de le définir, de le délimiter:

- *„Nul ne peut lui imposer de frontière"* [119] ou
- *„Celui qui lui imposerait de frontière n'existe pas"*.
- *Il est le „Maître de l'Éternité sans bornes"* [120].

L'Un en tant qu'Infini est l'unique Englobant. Il embrasse tout. Les commentaires de Beierwaltes, de Dohet et de Halfwassen précités reprennent ainsi, sans le savoir, une thèse qu'un auteur thébain avait déjà formulée avec une si merveilleuse concision:

> „Il n'y a rien en dehors de lui" ou „Un en dehors de lui, n'existe pas" [121].

S'il y avait quelque chose „en dehors de lui" ou „avec lui" ou encore „à côté de lui", il ne serait pas „Illimité". Réponse pertinente, qui va au-delà, qui corrige même la formulation de Beierwaltes, de Dohet et de Halfwassen: L'Un est le Dehors de l'Être. Il est l'Ultime-Dehors, et par conséquent, „Sans-Dehors".

[118] PLOTIN, Über Ewigkeit und Zeit (Enneade III 7), p. 20; lire aussi W. BEIERWALTES, Selbsterkenntnis und Erfahrung der Einheit. Plotins Enneade V 3 ..., p. 216-217.

[119] HPEA., n° 156, XII (VII), 3.

[120] TB., LXII, 3; cité selon P. PIERRET, Essai sur la mythologie égyptienne, p. 9.

[121] HPEA., n° 79, 6.

C'est dans cette même perspective qu'il faudrait aussi comprendre cette autre affirmation:

„*Il n'existe pas de territoire où l'on vive sans lui*“ [122].

Etant „Illimité“, „Infini“, il est aussi l'horizon ultime à partir duquel l'être pense ses „limites“, prend conscience de sa „finitude“.

L'infinité de l'Un ne porte pas de traces de l'Un-Tout ou de l'Un-partie-du-tout, mais plutôt celle de l'immanence de tout être dans l'Un et de la transcendance de l'Un par rapport à tout être. L'infinité signifie incommensurabilité, absence de toute limite ou de toute détermination, insaisissabilité et incogniscibilité. La „non-existence des limites“ de l'Un (*ñn d̲rw.f*) est, dans les *Hymnes* Thébains du Nouvel Empire, l'expression de *la transcendance absolue de l'Un.*

Comme on peut le constater, la conception de l'Un comme „Illimité“ est bel et bien égyptienne. Elle existe certes aussi ailleurs, mais les formulations de l'égyptien Plotin reprend ou commente *Apeiron* (*ñn d̲rw.f*) dans son sens pharaonique. Rappelons encore une fois certains des extraits thébains précités:

- *3wi.f wsẖ.f ñn d̲rw.f* [123]	„Sa longueur ou sa largeur est sans-limites“ ou
-*Ḥḥ pw ñn rẖ.tw d̲rw.f* [124]	„C'est l'Infini, il n'existe pas qu'on connaisse ses limites“

Positivement formulé :

„*Son étendue se dilate sans limites*“[125].

122 HPEA., n° 156, XII (VIII), 4.

123 Cf. RuA., p. 208; p. 212, ex. 10.

124 STG., p. 360, note a. Le „qualifier“: *ñn rh.tw d̲rw.f* nous oblige de traduire *Hh* non pas par „million“, mais par l'„infini“: „C'est l'Infini“ ou „Il est Infini“.

Il demeure „l'Insaisissable / Incommensurable" dont on ne peut connaître le corps ou la „forme d'être" (*Alepton* ou *Imn, ñn rḫ.tw n ḏt.f*). Il est l'Origine sans origine et Principe de l'Etant ou de Ce qui est" (*Arche ton onton* ou *š3ᶜ ḫpr / š3ᶜ wnn.wt = Sha-Untu, Sha-Ntu*), celui qui englobe tout, qui est la „Limite de tout" (*Peras ton olon*).

Les aspects de l'Infinité sont aussi multiples que les aspects de la transcendance et ils ne peuvent être exposés au cours d'un survol laconique comme celui-ci.

§ 26. Thèse de l'incogniscibilité et de l'ineffabilité de l'Un (*Imn / jwtj rh.f*)

La transcendance de l'Un et sa différence radicale par rapport à tout ce qui est débouchent logiquement, comme les Hymnes thébains viennent de le montrer, sur la théologie négative. Il n'en est pas autrement chez le Thébain Plotin – qu'on l'appelle Thébain, Lycopolitain ou Echnatonien, cela ne change grand-chose, car Amarna et Thèbes sont à l'intérieur du centre de rayonnement de la Pensée de l'Un. La Théologie Négative Thébaine est enseignée à l'étranger, aux non-africains, par le Missionnaire de la Spiritualité et de la Philosophie Kamites, à savoir Plotin :

- „L'Un est au-delà de la connaissance [*Rḫ*], comme il est au-delà de l'Intelligence [*Sia*]"[126];
- „C'est pourquoi, en vérité, il est ineffable [*Imn rn.f*]; quoi que vous disiez, vous direz quelque chose; or ce qui est au-delà de

[125] Cité selon P. PIERRET, Essai sur la mythologie égyptienne, p. 10.p.
[126] Ennéades, V 3, 12.

toutes choses, ce qui est au-delà de la vénérable Intelligence, ce qui est au delà de la vérité qui est en toutes choses, n'a pas de nom; il n'est pas quelqu'une d'entre toutes les choses, et il n'a point de nom parce que rien ne se dit de lui comme sujet"[127];

- „Nous n'avons de lui ni connaissance ni pensée. Nous disons ce qu'il n'est pas; nous ne disons pas ce qu'il est ... il est supérieur à ce que nous appelons l'être [*Nt / Ntu*], et il est trop haut et trop grand pour être appelé l'être"[128];
- „Elle (chose simple) est vraiment l'Un [*Wᶜ*, en luba: *m-We*]; ... il y est même faux de dire d'elle: l'Un; 'elle n'est pas l'objet de discours ni de science'"[129].
- Il est „amorphe", „sans forme"[130].
- N'étant ni ceci ni cela, il est „Rien". Il est „Non-Être"[131].

Etant „au-delà" de l'Être, il est aussi „au-delà" des limites de notre langage, de notre pensée et de notre connaissance. Il est „indicible", „innommable", insaisissable par la pensée et le langage.

- Il est „sans-Nom" et même la désignation de l'„Un" est inadéquat[132].

127 Ennéades, V 3, 13.

128 Ennéades, V 3, 14.

129 Ennéades, V 4, 1.

130 Ennéades, V 5, 6.

131 Ennéades, VI 9, 3; VI 7, 18.

132 Pour plus d'informations, lire H. A. WOLFSON, Albinus and Plotinus on Divine Attributes, in The Harvard Theological Review, 45 (1952), p. 115-130; D.J. O'MEARA, Le problème du discours dur l'indicible chez Plotin, in Revue de Théologie et de Philosophie, 122 (1990), p. 145-156.

- „*en réalité aucun nom ne lui convient ; pourtant, puisqu'il faut le nommer, il convient de l'appeler l'Un, mais non pas en ce sens qu'il soit une chose qui a ensuite l'attribut de l'un (...). Et il faut l'appeler l'Un pour nous le désigner l'un à l'autre, pour que ce nom nous conduise à une notion indivisible et unifie notre âme*"[133] (VI,9,5,31).

Passages célèbres qui nous rappellent les chap. 100 et 200 des Hymnes à Amon du *Papyrus de Leyde I-350*:

„Celui qui inauguré l'existence la première fois,
Amon, qui est venu à l'existence au commencement sans que son surgissement soit connu!
Il n'y eut pas de dieu qui vint à l'existence avant lui.
Il n'y avait pas d'autre dieu pour exprimer ses formes:
Il n'y avait pas de mère qui lui ait fait son nom.
Il n'y avait pas de père qui l'ait engendré[134] et qui ait dit: 'C'est moi'.
...
le dieu divin qui est venu à l'existence de lui-même.
Tous les dieux vinrent à l'existence lorsqu'il se fut donné le commencement"[135].
...
Unique est Amon (*Imn*) qui se cache/ qui est inconnu ou inconnaissable (*imn*) d'eux,
qui se dérobe aux dieux, sans que l'on connaisse son aspect.

133 Ennéades, VI,9,5,31
134 Comparer avec Ennéades, VI 8.
135 HPEA., n° 72, IV, 9-11.

Il est plus éloigné que le ciel-lointain;
il est plus profond que la Douat.
Aucun dieu ne connaît sa véritable nature.
Son image n'est pas étalée dans les écrits.
On n'a point sur lui de témoignage parfait.
Il est trop mystérieux pour que soit découverte sa prestigieuse majesté.
Il est trop grand pour être interrogé,
trop puissant pour être connu.
On tomberait à l'instant mort d'effroi
si on prononçait son nom secret, intentionnellement ou nom.
Aucun dieu ne sait l'appeler par ce nom.
Bai-caché (*imn*) est son nom, tant il est mystérieux“[136].

Nous avons repris ce long texte, car il permet aux philosophes, aux théologiens et aux gens qui ne sont pas en possession des Hymnes Thébains de se rendre compte que presque tous les thèmes développés par l'Égyptien Plotin sont exposés et condensés dans des formulations philosophiques d'une beauté, d'une précision, d'une perspicacité et d'une profondeur indépassables.

La plupart des aspects de l'Un développés jusqu'à présent sont condensés dans ces deux chapitres de l'Hymne à Amon, de l'Hymne à l'Ineffable (*Imn*) du *Papyrus de Leyde I-350*:

- „Qui existe de lui-même et par lui-même“ (Auto-Créateur),.
- L'Un „qui n'a pas de père“ ou qui est „sans père“
- L'Un-Créateur de tous les dieux

136 HPEA., n° 72, IV, 12-21; voir aussi RuA., p. 200.

- *Imn*, au-delà de la connaissance et du langage.
- Il demeure inconnu même de tous les dieux [inconnu de Jahvé, de Allah, de Jésus][137]:
  „Aucun dieu ne connaît sa véritable nature",
  „Aucun dieu ne sait l'appeler par ce nom".
  Autrement dit, il est même faux de l'appeler: „Un" ou „Dieu-Unique". La vérité est que:
  ñn rḫ.tw rn.f „il n'existe pas qu'on connaisse son nom".

Les penseurs thébains corrigent même d'avance les prétentions bibliques et coraniques et celles de la plupart des penseurs modernes qui veulent donner l'impression que la connaissance parfaite de Dieu est dans leurs écrits, sacrés par eux-mêmes:

- „Son image n'est pas étalée dans les écrits.
  On n'a point sur lui de témoignage parfait.
  Il est trop mystérieux pour que soit découverte sa prestigieuse majesté.
  Il est trop grand pour être interrogé,
  trop puissant pour être connu.
- On tomberait à l'instant mort d'effroi,
  si on prononçait son nom secret, intentionnellement ou nom.
  Aucun dieu ne sait l'appeler par ce nom".

Une telle formulation rend ridicule l'expression chère à l'Histoire Occidentale des Religions, à savoir: „Haute-Religion", „Haute-Théologie". Plus elle s'éloigne de l'Un, plus elle se dit „haute".

137 Les prières sont antérieures au Judaïsme. L'allusion à Jahvé, Allah, Jésus vient de nous. L'Un Sha-Ntu ou Mwa-Ntu, Ma-Untu est au-delà de Jahvé, au-delà de Allah, au-delà de Ontos grec.

La vérité est que „son image, son être, sa forme ou son essence n'est pas étalé(e) dans les écrits", n'est étalé ni dans les écrits africains, ni dans les écrits afro-juifs (=Bible) ni encore moins dans les dogmes chrétiens ou dans les afro-arabes comme le Coran.

Les références aux *Ennéades* dans ce commentaire de P. Géraud peuvent être remplacées par les Références aux Hymnes Thébains, sans qu'il y ait nécessité de changer le commentaire lui-même: L'Un est l'absolu indéterminé. En ce sens, on ne peut que nier de lui tout attribut (STG., T. 113a, 7-10 > V,5,15), tout nom (T. 87,9; T. 156, 1-2 > V,3,3 et 14), toute qualité: il est donc ineffable (STG., T. 29, 3; TT 34 (9), 29 > V,3,13). L'Un est comme au-delà de la pensée (chap. 200 du Papyrus de Leyde I-350 > ÄHG., Nr. 129, 19-20; HPEA., n° 89, 4 > V,3,10), puissance infinie, au-delà de l'être, au-delà de dieu.

De là la remarque de Géraud sur l'Un et le Langage: „Nous sommes donc en présence d'une saisie de l'Un qui à la fois rend possible un discours sur l'Un tout en le constituant comme inadéquat à ce discours (STG., T. 113a, 7-10 > V,3,14). Ceci constitue précisément le discours comme trace de l'Un, mais trace exactement connue comme telle, c'est-à-dire trace désignant immédiatement et à coup sûr un supplément extra-discursif que le discours fait être en ombre. En ce sens, le statut proprement philosophique du discours est la métaphoricité: „en parlant de lui, nous sommes obligés, pour indiquer notre pensée, d'employer des mots que nous ne voulons pas employer en toute rigueur. Il faut toujours les entendre avec un 'comme si'" (VI,8,13) ou encore „*ce qui nous en instruit, ce sont les analogies, les négations, la connaissance des êtres issus de lui et leur gradation ascendant*"[138] (VI,7,36,6). Le discours n'est pas le moyen de saisie de l'Un, il n'est pas non plus son lieu de résidence. Il peut en revanche en être l'effet"[139].

Plotin récite en Grec ou enseigne en grec les *Hymnes à l'Un*, à *Imn* (Amon / Imana / Imun) de la Vallée du Nil, afin de faire revenir les théologiens chrétiens et juifs à la raison, à l'humilité et d'éclairer les Occidentaux sur la Haute-Hénologie ou la Méta-Ontologie Pharaonique:

> „si on le voit, on n'osera plus dire qu'il est par accident,
> on n'osera même plus prononcer une parole:
> la stupeur d'esprit suivrait une pareille audace"[140] (comparer avec le chap. 200 du Papyrus de Leyde I-350).
>
> „en réalité aucun nom ne lui convient;
> puisqu'il faut le nommer, il convient de l'appeler l'Un, mais non pas en ce sens qu'il soit une chose qui a ensuite l'attribut de l'un ... Et il faut l'appeler l'Un pour nous le désigner l'un à l'autre, pour que ce nom nous conduise à une notion indivisible et unifie notre âme" (VI,9,5,31).

Mais pour nous le désigner l'un à l'autre, il nous semble plus logique de l'appeler „Bai-caché (*Imn*)", „Esprit-Ineffable" ou „L'Ineffable, l'Inconnu" (*Imn*), en luba Ka-Mun/ Ka-Mon „Indomesticable / Invisible", *Kasokome* „Le Caché", *Katena* „Sans =

[138] Ennéades, VI,7,36,6

[139] Cité à partir de:
http://www.ac-reunion.fr/pedagogie/philo/PlotRatio.htm

[140] Ennéades, VI 8, 19. Ce thème est aussi abordé par PROCLUS, Théologie Platonicienne. Livres I-III. Texte établi et traduit par H.D. Saffrey et L.G. Westerink (Coll. des Universités de France), Paris, 1968, 46, 21 - 48, 10; 74, 3 - 76, 7.

Sans-Nom“, pour que ce nom „Sans-Nom“ nous aide à ne jamais perdre de vue non seulement son être „mystérieux“ (*Št3*) pour tout ce qui est, mais aussi sa super-sublimité et son abscondité :

> *„Il est trop grand (**ʿ3-tw**) pour être interrogé,*
> *trop puissant (**Wsr-tw**) pour être connu“.*

§ 27. Thèse de l'immanence et de l'omniprésence de l'Un (*mn <m> jht nbt*)

L'Un, tout en demeurant dans sa Transcendance et dans son Unité / Unicité absolue, est aussi le „Fondement“ permanent et immanent de tout ce qui est, c'est-à-dire qu'il est à la fois „Transcendant“ et „Immanent“[141]. Il est l'„Unité“ sans laquelle il n'y aurait jamais de „Multiplicité“. Le Multiple n'existe que parce que l'Un „est“. Une „Source“ qui donne l'être sans être diminuée dans son „être“[142]. Une „Source“ d'où procède le Multiple sans être entamée dans son unicité[143].

Le paradoxe du Transcendant-Immanent ou de l'Omniprésence de l'Un a amené Plotin à utiliser les expressions presque „panthéistes“ ou „monistes“:

> „Comment le multiple vient-il de l'Un? - C'est que l'Un est partout, et qu'il n'est pas d'endroit où il ne soit. Il remplit tout. Donc, il est le multiple, ou plutôt il est toutes choses. -Oui, s'il

[141] Ennéades, VI 4, 3. Lire aussi W. BEIERWALTES, Selbsterkenntnis, op. cit., p. 117, 216-242; Id., Plotin. Über Ewigkeit und Zeit, op. cit., p. 19-21.

[142] Plusieurs textes égyptiens relatifs à ce thème sont rassemblés par A.M. FRENKIAN, op. cit., p. 140-147; voir aussi APA.I.3, p. 61-66, surtout 62-63.

[143] Ennéades, VI 9, 3.

était seulement partout, il serait toutes choses; mais comme, en outre, il n'est nulle part, toutes choses viennent grâce à lui“[144]; „tout lui appartient; tout est en lui et avec lui; la vie est en lui et tout est en lui“[145].

Ailleurs, il note:

„Ce principe ... unité qui est tout et raison de tout“, „il est au-dedans des choses et en leur profondeur“[146].

Rien ne peut exister, s'il est „séparé“ de l'Un[147], car „tout ce qui est“ est en dépendance ontologique par rapport à l'Un. Ce dernier est la „Source“ permanente de leur être:

„de même qu'en général, il n'est pas possible de faire subsister une chose qui tient sa substance d'une autre en la séparant de celle-ci, ... de même, les puissances qui viennent de l'être universel ne sauraient être séparées de lui. S'il en est ainsi, l'être universel sera partout où elles sont, de sorte que, encore une fois, un seul et même être est partout présent à la fois, tout entier et sans division“[148].

Autrement dit: „Si l'on dit qu'il est tout entier dans l'ensemble des corps, il est aussi tout entier en chacun d'eux. Il est partout le même, unique, indivisé et total“[149].

144 Ennéades, III 9, 4.

145 Ennéades, V 4, 2.

146 Ennéades, VI 8, 17-18. Et le traducteur d'ajouter à la note I, p. 156: „Ainsi, saint Augustin a parlé, après Plotin, du *Deus intimior intimo meo*“.

147 Ennéades, V 5, 12.

148 Ennéades, VI 4, 9, de préférence VI 4, 7-12.

149 Ennéades, VI 4, 12.

Pour justifier cette interprétation, Plotin renvoie à une conception populaire, partagé par tout Egyptien de „dieu qui est en chacun de nous“:

> „Que ce qui est un et numériquement identique puisse être partout entier et partout à la fois, c'est là une notion commune; et le mouvement spontané de la pensée porte tous les hommes à parler du ‘dieu qui est en chacun de nous’ comme d'un seul et même être“[150].

Ou encore comme le dit Platon, citant la Métaphysique Pharaonique et cité par Plotin:

> „Dieu ... n'est extérieur à aucun être; il est en tous les êtres; mais ils ne le savent pas“[151].

Les passages relatifs à l'Un „qui est en toutes choses“, tout en étant le „principe“ de toutes choses, renvoient aux textes thébains du genre:

nṯrw wʿ jrjw sw m hhw [152]	„Dieu-qui-est-Un et qui se crée sans-cesse / comme millions“ ou
	„Dieu-Unique, le Créateur est Lui de/dans les multiples = millions“
ḫprw wᶜw msjw sw m-hhw [153]	„L’Être-Unique / Ek-sistant-Unique, Il est l’Engendreur de ou dans les millions = multiples“;
	„Unique-Eksistant et Unique-Engendreur

[150] Ennéades, VI 5, 1.
[151] Ennéades, VI 9, 7.
[152] STG., T. T. 43, 1-2; T. 148, x+1, 4.

de multiples

„Être-qui-est-UN/ Ek-sistant-Unique et Unique-Engendreur de ou dans les millions"

„L'Unique-Être qui s'engendre indéfiniment" tout en restant „Un".

L'Un est l'Unique-Engendreur ou l'Unique-Créateur (*msiw-sw, iriw.sw*) de millions et dans les millions. La formulation thématise aussi la problématique de l'Un ou de l'Unique-Être qui se produit ou qui s'engendre indéfiniment tout en demeurant Un.

La phrase „Unique-Être qui est l'Unique-Créateur ou l'Unique-Engendreur de et dans les Multiples = Millions" semble être une reprise de la philosophie amonienne de l'Un comme „Fondement" de l'existence et comme celui qui persiste/ demeure/ est stable en toute chose":

-*Imn mn iḫt nbt*[154]	„'Le Caché' qui persiste/ est stable en toute chose"
mn m ḫt nb(t)[155]	„Le Caché qui affermit /soutient toute chose";
- *swḥ mn m ʿt nb*	„Souffle (*Pneuma*) qui demeure en tout membre,

153 STG., T. 149, 7.

154 RuA., p. 165.

155 Plusieurs exemples rassemblés par K. SETHE, Amun und die acht Urgötter von Hermopolis, Berlin, 1929, § 154, 205, 217-226. Nous préférons rendre *jht /jh.t* par *ḫt (*en Luba *: ciitu, kiintu)*. En outre, nous ne transcrivons *nbt* que là où il y a T dans l'original ou là où nous empruntons la transcription d'un autre.

ñ sw ḫt ti sw[156]	une chose vide n'existe pas, il est là-dedans“;
- *„tj sw mn m iḫ.t nb.t“*[157]	„Il est stable en toute chose“; „Il est Celui-qui-demeure en toute chose (et qui stabilise toute chose)“ „Il est la Substance ou Celui qui soutient de tout chose“
ʿnḫ ʿnḫ.tw im.f ḏt[158]	„Vie dont on vit éternellement“.

On ne saurait mieux exprimer l'idée de l'immanence ou de la présence créatrice et sustentatrice de l'Un dans tout être.

Rappelons toutefois qu'il est en tout être tout en étant au-delà de tout ce qui est. Il n'est pas faux de dire qu'il est dans ce qui est, mais il faudrait toujours ajouter que *„Ce qui est est dans son poing, ce qui n'est pas est dans son flanc“*[159].

[156] Transcrit à partir de K. SETHE, Amun ... § 226. Sa traduction est: „der Lufthauch, der bleibt in jedem Glied (?), nicht ist ein Ding leer, er ist (*tj sw*) darin“. En luba actuel, nous pouvons rendre *ti sw* par *se utu mu*, car *se utu / s-utu* a le sens de „il est toujours“.

[157] K. SETHE, Amun ... § 226.

[158] Cette suite est transcrite par nous.

[159] TB., XXXII, 8; cité selon P. PIERRET, *Essai sur la Mythologie Égyptienne,* p. 10. Nous empruntons certains extraits de cet essai pour attirer l'attention sur son importance. Erik Hornung a critiqué Pierret spéculativement alors que ce dernier suit presque ***ligne par ligne*** les textes égyptiens. Chacune de ses affirmations est illustrée par plus de dix textes, accompagnés d'une reproduction de l'original. Cet essai de 1879 dépasse de loin la totalité de tous les travaux de synthèse publiés par la suite jusqu'en 1990. Il n'a été dépassé à notre avis que par notre travail d'habilitation de 1992; travail qui a, à cause de sa rigueur scientifique, rencontré la résistance des maîtres de la complaisance et de l'herméneutique dévalorisante.

§ 28. Thèse du passage de l'Un au Multiple comme un *„proodos" (prj m / ṯnj m hhw)*

A la question de savoir comment le Multiple peut-il provenir de l'Un, Plotin répond en se servant d'une métaphore topographique: celle de *„proodos"* généralement rendu par „procession", „avancement", voire „émanation". Mais il faudrait donner à ce *„proodos"* le sens luba de *dilopoka, dipatuka,* c'est-à-dire d'un „surgissement, jaillissement" à partir d'une source. Le *di-lopo-ka* ou *dilopola* en Luba a l'avantage de garder la connotation de la „sortie à partir d'une source", d'un *mpokolo*. La source „fait sortir" (*lopola*) alors que le produit „surgit" (*lupuka, lopoka*). L'Un, et exclusivement l'Un, est *nLopodi, nDopodi*. L'Être est *Mu-Lopoke (ḫpr.w),Ci-Lupuke (ḫpr.t)*.

Pour avoir la connotation de la descente, on parle de *puluka, poloka,* du verbe *pula* ou *pola* qui renvoie certes à *pr*, mais avec le sens de la „descente", de „faire descendre ou de cueillir"[160].

La hiérarchie de ce *proodos* „procession", dit aussi *kathodos* „voie descendante" (*di-pweka* en Luba), se présente comme suit:

160 Il n'est pas faux de présenter le *proodos* comme un développement allant du „haut vers le bas" (descente), mais il faudrait souligner aussi et nécessairement le sens de la „source" inépuisable, intarissable. Pour plus d'informations sur cette thèse, voir: J. BUSSANICH, The One and its Relation to Intellect in Plotinus. A Commentary on selected Texts, Leiden, 1988; F.-P- HAGER, Der Geist und das Eine. Untersuchungen zum Problem der Wesensbestimmung des höchsten Prinzips als Geist oder als Eines in der griechischen Philosophie, Bern - Stuttgart, 1970; J.-M. NARBONNE, Plotin et le problème de la génération de la matière, in Dionysius, 11 (1987), p. 3-31; J.M. RIST, Theos and the One in some Texts of Plotinus, in Mediaeval Studies, 24 (1962), p. 161-180; etc.

Concept	Synonyme	Nom Religieux
Un (Hen)	Dieu	„Proto-Père"/ Ouranos /Apollon[161]
Esprit /Être	Intelligence(*Noûs*), Monde intelligible (*Noêton*)	Cronos[162]
Âme /Psyché	Parole de l'esprit	Vénus Uranie, Jupiter[163]
Matière	*Tous les êtres sensibles*	*multiplicité.*

Ces émanations (*bi-lopoke / bi-lupuke*) sont aussi considérées comme des „hypostases" de l'Un (*Ma-Alwa- / Mi-Ifu- / M-Ivu-<y>a-UmWe*), nous allions dire des „auto-manifestations" imparfaites, „des transformations" de l'Un. Dans ce sens, nous pouvons faire nôtre ce schéma[164]:

Un (*Hen*)
Être – Intelligence (*Noûs*) – Monde intelligible (*Noêton*)
Âme (*Psyché*)
Matière – êtres sensibles

[161] Ennéades, I 8, 2 („Dieu"); V 5, 6 („Ouranos" / „Apollon" (non-multiple).

[162] Ennéades, V 1, 7 (sur l'Esprit / l'Intelligence) et V 1, 4 (comme „Cronos"). Lire aussi les commentaires et remarques qui accompagnent les traductions suivantes: PLOTIN, Seele - Geist - Eines. Enneade IV8, V4, V6 und V3, éd. K. Kremer, Hamburg, 1990; PLOTIN, Geist - Ideen - Freiheit. Enneade V 9 und VI 8, hrsg. von W. Beierwaltes, Hamburg, 1990.

[163] Ennéades, V 1, 3 et 7 (sur l'âme); III 5, 8 et V 8, 10 (comme Vénus Uranie ou Jupiter)

[164] Schéma extrait de: http://www.ac-versailles.fr/etabliss/lyc-monod-enghien/julhyp95/philosophie.htm

Mais quoi qu'il en soit, l'interprétation de la procession plotinienne dans l'Histoire reste hautement problématique ainsi que celle du statut ontologique de ces „hypostases". Problème que Plotin, à l'exemple des penseurs pharaoniques, articule à travers le paradoxe: „l'Un est Tout" et „l'Un est au-delà de Tout".

Cette „procession", en Luba *di–lopola / -lupula* (<*prt r* ou *r pri*) *dia Ntu* (*Nti*) nous rappelle les degrés d'immanence de l'Un chez les êtres vivants et plus particulièrement, chez les dieux et les hommes en Egypte antique.

Plotin partageait le postulat africain de la Hiérarchie des êtres ou des forces :

Concept	**Synonyme**	**Autres Catégories**
Wᶜ/ *Wᶜ-Wᶜw*	*Nṯr -wᶜ* [165] „Dieu-Un" *Ḫprw-wᶜ* „Être-Un"	*Tm/Itmw* (Tum/ Tem) *Sha-Ntu* (Principe de l'Être)
	Ka / Ba	*Ra-Imn*/ Horus / Shu-Maât / Khepri (*Ḫpri*)
K3/B3	Pensée-Parole Esprit/âme des êtres	
Ḏt/ H̱t/ iḪt [166]	„Corps/ Chose"	

Le *k*a ou *b*a des hommes ou des dieux est une étincelle, une parcelle du Ka ou du Ba de Dieu ou de l'Être-Primordial *Ntu*, lequel est une „réalisation" de l'Un (*Sha-Ntu, Nina-Ntu*). Il appartient au monde

165 l'„Un" ou „Dieu-Unique / Dieu qui est Un"

166 „Corps" / „Chose".

céleste et est éternel[167]. D'où la définition du *ka* comme le „dieu qui est dans le coeur“. Le corps quant à lui appartient à la terre, au monde périssable[168].

Il me semble que le passage dans lequel Plotin révèle la tradition philosophique pharaonique de la procession ou du processus de surgissement des êtres multiples est le moins commenté et le moins schématisé:

„Donc il y a la vie, qui est une puissance universelle, puis une vision qui vient de l'Un et qui contient tous les êtres dans sa puissance, enfin l'Intelligence qui, en naissant, fait apparaître les êtres en eux-mêmes“ (VI,7,17,32).

Ce passage contient un ordre de succession qu'on ne souligne pas assez, mais qui met en évidence le modèle classique de l'hénonologie pharaonique:

L'Un (*Wʿ*) - Vie (*ʿnḫ*)

↕

Plan-Vision (*sḫr*)

↕

Intelligence (*Sia, 3ḫ*)

↕

êtres multiples (*ḥḥw*, *wntw*, *ḫprw*)

167 Pour d'autres éléments de rapprochement sur cet aspect, voir F. DAUMAS, L'origine égyptienne de la tripartition de l'âme chez Platon, in: Mélanges Adolphe Gutbub, Montpellier, 1984, p. 41-54.

168 Pyr. 474a; voir aussi 244a, 444a, 663a et 667, 688, 694; 149d; etc.

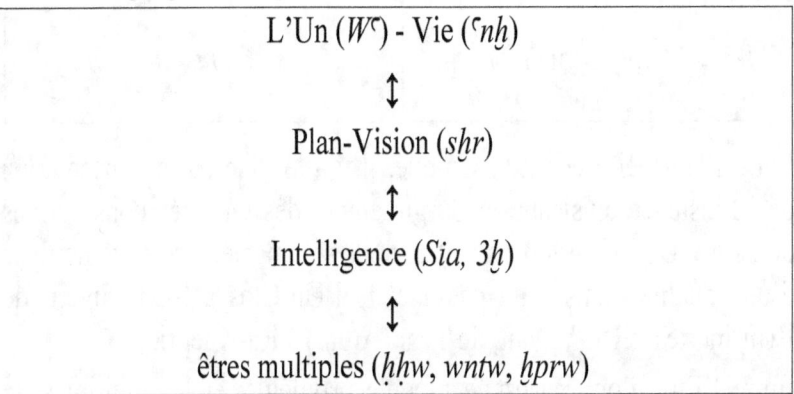

Ce passage reprend la vision ou la conception fondamentale pharaonique de l'ek-sistence, du surgissement des êtres multiples.

Vision fondamentale que nous pouvons schématiser comme suit:

Wˁ /Tm /Nni	*L'Un / Tem/ Inerte*
↕	
Śẖr / Śi3	Plan-Vision / Pensée
↕	
(*ˁnẖ, šw, wśr,m3ˁt, si3, ḥw, k3, b3, 3ẖ*)	
↕	
Wˁ: Wn / Nt / Ḫpr[169]	L'Un: Être, Ek-sistant
↕	
(Principe ou Double-Principe-créé-créateur)	(ex.: Shu, Hou, Maât, Heka, Hâpi, Ptah)
↕	
Wnn/ Wnt.w/ Nt.w/ Ḫpr.w / Hh.w	*êtres / étants/ millions*

Entre l'Un-Inerte et l'Être-Unique, il y a le Plan ou la Pensée (*sẖr*) de l'Existence ainsi que le Surgissement des Qualités constitutives de l'Être. De l'Un-Inerte à l'Être, nous sommes en présence non pas d'une dualité, mais d'un passage de l'Un-Clos à l'Un-Ouvert, de l'Un-Inerte à l'Un-Vivant, de Tem (Atum) à Ra-Khepri.

Entre l'Être, dont Ra est le modèle privilégié, et les multiples, la plupart des Penseurs égyptiens découvrent un Principe ou Double-Principe émanant de l'Être-qui-est-Un ou de l'Être-Un-qui-existe-

169 Le passage de l'Un-Clos à l'Un-Ouvert

de-soi-même, mais un (Double-)Principe créé créateur de tout, appelé selon les auteurs: *Sia* „Intelligence“, *Hu* „Parole“, *Śiʿ-Ḥw* „Pensée-Parole“, *Šw* „Air, Souffle, Pneuma“, Maat „Vérité-Justice-Rectitude-Ordre“, *ʿnḫ* „Vie“ ou *Šw-ʿnḫ* „Souffle de Vie, Souffle Vivant“, *Shu-Maat* „Souffle-Ordre“, *Ka, Ba, 3ḫ* „Esprit lumineux“, *wśr* „Force, Puissance, Énergie“, *Ḥk3* „Puissance d'invention, Force miraculeuse“, etc. De toute façon, il y a généralement primat de la Pensée-Plan (*siʿ*, *sḫr*) ou de la Pensée-Parole (*Sia, Hu* ou *Wḏ*) sur les êtres multiples et le postulat de ce (Double-)Principe créé-créateur fait des êtres une manifestation, une réalisation de la Pensée ou de la Parole-Primordiale.

Certains paragraphes de Plotin conduisent cependant à une hiérarchie un peu différente, mais qui ne demeure pas moins pharaonique:

„il y a d'abord l'Un, qui est au delà de l'Être ... puis, à sa suite, l'Être et l'Intelligence, et au troisième rang, la nature de l'Ame“[170];

- „Il y a donc aussi en nous le principe et la cause de l'intelligence qui est Dieu“[171].
- „les âmes sont des dieux, car un dieu est un être attaché à l'Un“.[172]

Selon ces passages, le *„proodos“* se présente comme suit:

170 Ennéades, V 1, 10.

171 Ennéades, V 1, 11.

172 Ennéades, VI 9, 8. Ce passage explicite cet autre: „Dieu ... n'est extérieur à aucun être; il est en tous les êtres“.

↕ *Un*
Être + *Intelligence* (= Dieu)
Ame (= les dieux)

Ces deux schémas révèlent trois imprécisions, sources de confusion:

primo, chacun des éléments de cette hiérarchie est parfois appelé **„dieu"**:

l'Un	ou le Dieu!
l'Intelligence /l'Esprit	ou le Dieu!
l'Ame / les âmes	ou les dieux!

- *secundo,* chacun des éléments est parfois appelé **„être"**:

↓	l'Un	↑	ou l'Être Universel[173]!
↓	l'Intelligence	↑	ou l'être!
↓	l'Ame	↑	ou l'être (car „l'être c'est toute chose"[174])
↓	Matière	↑	ou êtres vivants!

- tertio, le rapport entre l'Être et Dieu n'est pas clair, ainsi que celui existant entre l'Être et les êtres. Parfois, on a l'impression qu'il y a d'un côté l'Un et de l'autre l'être, dans le sens de „ce qui est", l'„étant" (*òn*).

Les deux premières difficultés se retrouvent aussi dans les textes pharaoniques. Elles proviennent des limites et des potentialités du

[173] Ennéades, VI 4, 9 : les puissances qui viennent de l'être universel ne sauraient être séparées de lui ... un seul et même être est partout présent à la fois, tout entier et sans division".

[174] Ennéades, VI 9, 2.

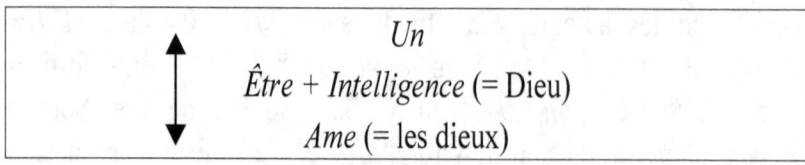

langage humain. La troisième imprécision est clarifiée ou levée dans beaucoup hymnes thébains.

Le „*proodos*“ renvoie à une série des termes égyptiens, entre autre:

pri m / n	sortir en qualité de, sortir de, émaner de, écouler comme; en luba: *lupula, lopola* (*rdi pri*)
rdi pri	laisser sortir, laisser émaner; en bantu-luba: di-lupula, di-lopola, di-lupuka
wbn	apparaître, surgir; ubal, bala
jj / ii	venir, provenir, procéder; en bantu: Ya.
ḫpr	ek-siter, venir à l’être; cipela, lupuka, pongola (< *pḫr* < *ḫpr*?).
bs m	se révéler comme
ḥꜥi	apparaître
…	
msi/ wtṯ	engendrer, générer

Le *proodos* au sens de „provenir, procéder, découler, sortir de“ est plus fréquent dans les textes qui parlent de la sortie hors du Noun. Mais nous le rencontrons aussi dans ceux qui pointent en direction de l'„au-delà“ de l'Un. La philosophie pharaonique connaît un proodos, un *pri* qui n’est pas une chute ou une voie descendante (*kathodos*), mais une apparition, une auto-exposition, une (auto-)manifestation (*ḥꜥi*).

Le „retour“ est exprimé soit sous forme de menace d'anéantissement total („*iw t3 r iy m nwn*“[175]), soit sous forme d'une aspiration exis-

175 Cité selon S. MORENZ, La religion égyptienne, Paris, 1977, p. 222-223 note 5: „la terre (re)viendra en (comme) Noun“.

tentiale et morale des dieux (*nṯrw*), des esprits (*3ḫw*) et des hommes (*rmṯw*).

La hiérarchie plotinienne explique plus les degrés de spiritualité, de divinité, de voisinage des êtres ou des éléments de la personnalité par rapport à l'Un ou au „Générateur de tout" que l'articulation de la façon dont ils émanent de lui, proviennent de celui-ci.

En lisant attentivement Proclus, nous avons constaté qu'on peut déduire la hiérarchie des êtres à partir d'une formule du genre:

> „Je suis ce qui est, ce qui sera, ce qui a été. Nul n'a soulevé mon chitôn. Le fruit que j'ai mis au monde, ça (été) était le soleil".

Ceci conduit à une procession qui part de Neith aux autres êtres en passant par Rê „Soleil".

Nt	„Ce(lle) qui est" = L'Un pur
Rʿ	„Soleil" = L'Un manifesté / Être- ou Dieu-Créateur
↓ *ḥḥw n ḫprw*	„millions d'êtres" = „êtres multiples".

Le texte est d'inspiration saïte, mais nous rencontrons la même tension dans les textes d'inspiration héliopolitaine ou thébaine.

Cette interprétation se fonde sur le *Commentaire sur le Timée*, I, 135, 30 - 136, 8:

> „C'est merveille comme l'Egyptien a converti toutes choses vers la Déesse, puis les a fait procéder à partir d'elle, puis de nouveau les a converties vers elle".

176 PROCLUS, Commentaire sur le Timée, I, 98.6ss (p. 140).

Cette procession des multiples à partir de l'Un ou génération des multiples par l'Un (= la déesse), Proclus l'expose comme s'il avait devant lui des *textes* de Thèbes, d'Héliopolis, d'Edfou, d'Esna, de Philae ou même de Saïs:

> „Avant les êtres partiels qui naissent dans le temps, l'Agent Démiurgique **engendre ses pensées**, et il faut considérer comment c'est seulement après avoir **pris d'abord intellection de lui-même** et avoir vu en lui-même les causes des êtres à produire que le Créateur des êtres devenus **donne** aussi aux autres, **à partir de lui-même, la venue à l'être**“[177].

Ce passage reprend un schéma du processus de la création dominant dans les textes égyptiens à tendance mono-originiste (d'Héliopolis, de Memphis, d'Amarna, de Thèbes et de Saïs). En citant ici Proclus, nous avons voulu montrer que la comparaison de cette thèse de la *procession* reste un cas d'étude et que l'interprétation de Proclus est révélatrice de textes plus appropriés.

Quant aux schémas de la procession ou de l'émanation, il convient de noter que Plotin est un individu et que ses *Ennéades* ont la même valeur que les textes d'autres individus, le cas de l'Hymne de Souti et Hor, des Hymnes d'Ashanyati (Echnaton), des Hymnes du Papyrus de Leyde I-350, etc. Par rapport au Corpus des Textes Pharaoniques de trois premiers millénaires, on peut dégager plusieurs schémas selon les Écoles, les Périodes ou les Tendances majeures. La Pensée Thébaine elle-même s'étend sur une durée de plus de cinq siècles et elle comprend toutes sortes de tendances et de nuances.

177 PROCLUS, Commentaire sur le Timée, I, 192, 31-193, 5. C'est nous qui soulignons.

Important pour l'interprétation du *pri* plotinien est aussi le terme égyptien que Plotin avait en tête lorsqu'il disait *Noûs* „Esprit, Intelligence"? Avait-il en tête le terme Ka, Ba ou Akh? Avait-il en tête *Shu* ou le trio *Shu-Maât*? Avait-il en tête *Sia* seul ou le co-principe *Sia-Hu*? Rappelons que ces principes sont considérés dans beaucoup de textes comme antérieurs à l'Être, comme conditions de possibilité de l'Être.

§ 29. Thèse de la „différence" entre l'Un et l'Être (*ṯnj r [wnnt nbt] / tnjw ḫprj]*)

En outre, bien que la „procession" ou l'„émanation" soit l'aspect le plus souligné de *l'hénologie* plotinienne dans l'histoire de la philosophie, il ne reste pas moins vrai que celui-ci parle plus de l'„engendrement"(*msi*), de „faire naître" (*msi, wtṯ*), de „produire" (*iri*), etc. que d'„émaner":

- „la trace de l'Un fait naître l'essence, et l'être n'est que la trace de l'Un"[178];
- „l'Un est pouvoir producteur de toutes choses"[179];
- „l'Un n'est pas lui-même l'être, mais générateur de l'être"[180];
- „Il est donc un acte supérieur à l'intelligence, à la pensée et à

[178] Ennéades, V 5, 5. Plotin dérive étymologiquement l'être de l'Un. Selon lui *EINAI* „être" viendrait de *EN* „Un". Cette analogie ou parenté se retrouverait également dans la phonologie: ***EN*** ou ***HEN*** „l'Un" renvoie à *ON* „l'Être" (Cf. PLOTIN, Ennéades V, Paris, 1931, p. 97). De là l'affirmation: l'Un „est au delà de l'être" (Ennéades, V 5, 6) ou encore „L'Être qui vient de l'Un ne se sépare pas de lui et n'est pas identique à lui" (Ennéades, V 3, 12).

[179] Ennéades, V 1, 7.

[180] Ennéades, V 2, 1.

la vie; elles viennent de lui et non d'un autre“[181];

- „Il est la puissance de tout; s'il n'est pas, rien n'existe; ni les êtres ni l'intelligence, ni la vie première, ni aucun autre“[182].

Tous ces passages n'expliquent pas *le comment* de cette „génération“ par l'Un. Le passage d'un degré à un autre n'est pas très clair. Comment l'élément supérieur „produit-il“, „génère-t-il“, „engendre-t-il“, „donne-t-il naissance“ à l'élément inférieur? Existe-t-il une rupture ontologique entre l'Un et ce qui est issu de lui, entre l'Un et son effet?

En plus, l'être dont il est question dans ces passages ne semblent pas être „l'Être des êtres“, mais plutôt l'„étant“. L'„Être des êtres“, qu'il appelle „Être universel“ ou „Principe premier“, s'identifie à l'Un, est l'Un.

Dans les Hymnes, l'Un (*W*ᶜ) ou le „Dieu-qui-est-Un“ (*Nṯr-W*ᶜ, > *Ntole-m-Oya*) est l'„Être-qui-est-Un“ / l'„Être-Un(ique)“ (*Ḫprw-W*ᶜ). Il y a l'identité de l'Un et de *Ḫprw-W*ᶜ[183]. Mais l'Un ou l'Être-Unique (= Méta-Être) est une „manifestation“ de son „Au-delà“. Il est la „trace“ de celui qui à jamais demeure „au-delà“ de l'Être et du Non-Être et que nous appelons, faute de mieux, „l'Amorphe“, „l'Un-

181 Ennéades, VI 8, 16.

182 Ennéades, III 8, 10.

183 Lire à ce sujet E. HORNUNG, Der Eine und die Vielen. Ägyptische Gottesvorstellungen, Darmstadt, 1971, p. 164-166-172, 181, 249, etc. Selon E. Hornung, l'Un-Pur / -Indéterminé / -Indifférencié est „au-delà“ de l'Être. Mais cette affirmation vaut pour certains passages de CT et non pour les hymnes. *Ḫprw-W*ᶜ „Être-Unique ou Être qui est Un“ est l'„Un-ouvert / -manifesté“ et comparé au „soleil levant ou au soleil du jour“(Rê, Khepri). L'„Un-Inerte / -Immobile“ et „Ineffable“ est *Tm / Itmw* „Totalité-Rien“, „Être qui n'est pas“, comparé au „soleil pendant la nuit“ (Atoum).

Clos", „l'Être qui n'existe pas", l'„Inerte", le „Méta-(méta)- Être-et-Non-Être, l'„Ineffabble", etc.

Entre „l'Un-Clos" (*Sha-Ntu*) et „l'Un-Ouvert" (*Ntu-Wa-Kulu*)[184], il y a tension et non-dualité.

Cette tension se révèle dans les phrases du genre:

bsw sw m Wᶜ [185]	„Qui se révèle comme UN / l'UN"
jjw m Nṯr-Wᶜ [186]	„Qui vient en qualité de Dieu-est-Un"
	„Qui vient *comme* Dieu-Un /-Unique"
wbnw m Wᶜ [187]	„Qui surgit / apparaît comme UN(ique)"
s3ᶜ ḫpr m Wᶜ[188]	„Qui inaugure l'ek-sistence comme l'Un, en tant qu'Unique"

L'„Ineffable" (*Keena, Katena, Kamweki* en Luba) est l'antécédent-sujet qui demeure à jamais *in absentia* dans ces phrases. La préposition **m**, qui fait de *Wᶜ* un complément circonstanciel de lieu ou de moyen, souligne la similarité-et-différence entre *bsw /wbnw / jjw* celui „qui se révèle, surgit, vient" et l'Un, sa „trace".

Dans certains textes thébains et plus particulièrement dans les textes d'inspiration thébaine datant de la Basse-Époque, nous rencontrons

[184] Le *Wa* est ici son sens de *–Oya, im-We* „L'Un" et non celui de génétif. Mais la langue Luba qui est très apparentée à l'ancien égyptien, comme l'Italien au Latin, véhicule plusieurs possibilité de lecture : „*Ntu*-Unique-Primordial"; „*Ntu*-Unique-du-Premier/-Ancien"; „*Ntu*-de-l'Unique-Primordial".

[185] RuA., p. 211, ex. 6 (=Pap. de Louvre 3292); ÄHG., Nr. 47,1.

[186] RuA., p. 211, ex. 8 (=Pap. de Berlin 3049, II, 3); ÄHG., Nr. 127, 5-6; voir aussi RuA., p. 212, ex. 16 (=Edfou V, 80).

[187] RuA., p. 212, ex. 17 (=Edfou III, 60 et aussi VI, 348, 7s).

[188] RuA., p. 212, ex. 14 (= Medamud, Nr. 249,7).

non seulement l'Un au-delà de l'Être, mais aussi l'Au-delà de l'Un-qui-est-au-delà-de-l'Être.

L'Un n'est pas celui vient, qui se manifeste comme l'Être des êtres, mais c'est l'Ineffable, le Keena qui surgit, se manifeste comme l'Un (*UmWe*). Cette conception nous semble être très cohérente et très conséquente, car pour être nommé „**Un**", il faut s'être au préalable „manifester" ou tout au moins être entrain de „se manifester".

Cette lecture de la Basse-Époque peut être résumée au moyen du schéma suivant:

Au-delà de l'Un

ii m[189]

L'UN (*Wʿ*) au-delà de l'Être

ii m

L'Être (*Wn / Nt*) au-delà des êtres

ii m

Tout ce qui est (*nti nb*)et tout ce qui n'est pas (*ñti nb*)[190]

La thèse de la rupture entre l'Un pur et l'Être n'est pas explicitement soutenue dans les hymnes, mais plutôt dans certains passages de CT. Ce qui est attesté, c'est la „différence ontologique" (*tnjw ḫprj*[191]) entre l'Un et l'Etant ou entre l'Un et „tout ce qui est".

189 En Luba, ***ii m*** est *iya mu*, avec le sens de „aller dans, entrer dans". L'Un est aussi dans ce qui émane de lui. Il y habite aussi. Le retour garde la même connotation, mais de bas en haut.

190 Tout ce qui n'est plus et tout ce qui n'est pas encore".

191 AHL., p. 614.

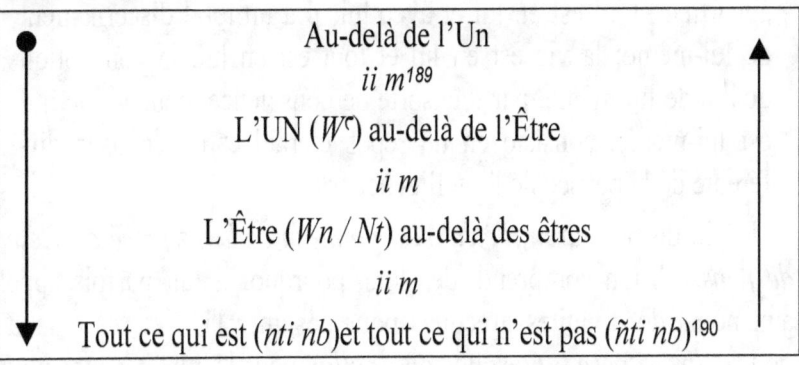

§ 210. La thèse de l'Un comme „Vivant" et „Pensant" (*b3-ᶜnḫ*)

Dans la description positive de l'Un ou de l'Être, Plotin évoque une dimension fondamentale qui rattache encore plus d'une fois sa pensée à celle du Nouvel Empire. Il ne faut pas concevoir l'Un comme „un cadavre privé de vie et de pensée", mais comme *nṯr-ᶜnḫ*[192] „Dieu-Vivant", celui qui „comprend" la vie, la pensée, l'intelligence, la conscience, l'amour, etc. Dans *Ennéades*, V 4, 2, il note:

> „mais l'Un n'est pas en quelque sorte privé de sentiment; tout lui appartient; tout est en lui et avec lui; il a un total discernement de lui-même; la vie est en lui et tout est en lui; la conception qu'il a de lui-même, par une sorte de conscience, conception qui est lui-même, consiste en un repos éternel et une pensée différente de la pensée de l'Intelligence"[193].

Et Plotin de conclure: *„l'être n'est point un cadavre privé de vie et de pensée"*. On comprend, dès lors, pourquoi il fait parfois appel aux noms de divinités grecques pour désigner l'Un et ses émanations: *„Proto-père", Ouranos ou Apollon* pour l'Un[194], *Cronos* pour l'Intelligence (Nous)[195] et *Venus Uranie ou Jupiter* pour l'Ame (Psyché)[196].

Les *Hymnes* thébains font à ce sujet appel à des „models" tels que „Père", „Mère", „Berger Unique", „Souffle de Vie" (*swh n ᶜnḫ*),

192 RuA., p. 155
193 Ennéades, V 4, 2.
194 Ennéades, V, 5, 6.
195 Ennéades, V, 1, 4.
196 Ennéades, V, 8, 10 et III, 5, 8.

„Souffle-Vivant“ (*Šw-ʿnḫ*)[197], etc. L'Un (*Wʿ*) est non seulement Maître de *Sj3* „Pensée“ et de *Hw* „Parole“, mais il est aussi Maître de la vie (*nb ʿnḫ*), „Porte de la vie“ (*t3jt n ʿnḫ*) qui vivifie (*sʿnḫ / rdj ʿnḫ*) et existencifie (*sḫpr*) tout ce qui est. Il est aussi *ḫpr(r)-ʿnḫ* „Être-Vivant“ ou *ʿnḫ-ḫpr* „Être qui vit“ ou „Vie de l'Existant“, *b3 ʿ3 ʿnḫ* „Grand-Esprit-Vivant“, *b3-ʿnḫ* „Âme-Vivante“, „Esprit-Vivant“, „Esprit de vie“; *ʿnḫ-b3* „Âme qui vit“[198] ou „Vie de l'Âme“, etc.

Parmi les passages relatifs à cet aspect, citons:

- *ʿnḫ ʿnḫ.tw jm. ḏt*[199]: „Vie dont on vit éternellement“;
- *ʿnḫ sʿnḫ ntj nb*[200] : „Vie/ Vivant qui vivifie tout ce qui est“;
- *twt ʿnḫ ʿnḫ.tw-f*[201]: „Tu es la Vie dont on vit“;
- *b3-ʿnḫ ḫprw ḏs.f*[202] „Ba-Vivant qui existe de soi-même“;
- *b3-ʿnḫ s3ʿ ntj nb*[203] „Ame-Vivante qui a inauguré/ créé tout ce qui est“.

Dans la Pensée Pharaonique du -IIᵉ Millénaire, les qualités de l'Un, à savoir *ʿnḫ* „Vie“, *3ḫ* „Rayonnement-Lumineux / Lumière spiri-

197 Plusieurs exemples dans K. SETHE, Amun ... § 192-193; 205-209; etc.

198 Plusieurs exemples dans K. SETHE, Amun ... § 232, p. 209-210. Voir aussi RuA., p. 153, 155, 202-205; STG., TT. 131: *b3 ʿnh ḫpr ḏs.f.*

199 K. SETHE, Amun ... § 218.

200 K. SETHE, Amun ... § 206 8= Theb. T. 139d).

201 K. SETHE, Amun ... § 206 (= Theb. T. 137d).

202 RuA., p. 155.

203 RuA., p. 153.

tuelle“, *šw* „Souffle, Pneuma“, *m3ʿt* „Vérité-Justice-Ordre“, *siʿ* „Intellect“, *ḥw* „Parole“, *k3* „Esprit“, *Ba* „Âme / le Double“, etc. sont produites dans la „Création Primaire 1° (=du premier degré)“, on peut aussi dire dans la „Procession Primaire 1°“, laquelle est antérieure à l'Être-Primordial, mieux laquelle est constitutive de la procession de l'Être-Créateur (*Ra, Sha-Ntu*). C'est pourquoi chacun de ses éléments peut jouer le rôle du „principe-créé-créateur“, de la „première émanation de l'Un“ ou l'“Indéterminé dans procession comme UN“.

§ 211. Thèse de l'aspiration de l'âme vers la „vision“ de et l'„union“ avec Dieu ou l'Un (*jb r m33-<f>*)

L'affirmation selon laquelle l'Un n'est pas privé de sentiment ou qu'il n'est pas un cadavre privé de vie et de pensée permet de lever le dernier doute entre l'Un de Plotin et l'Un-Vivant-et-Pensant des hymnologues thébains. Plus fondamentalement, les *Ennéades* révèlent par-là leur dimension religieuse, à savoir: aider l'homme à fixer son regard vers Dieu, de s'élever vers l'Un afin de le „contempler“ et de devenir un avec lui.

Le *proodos* a lieu corrélativement avec *l'epistrophé* „le retour“ ou la „montée“ (*anodos ;* en Luba : *di-Banda, di-Pingana*) vers l'Un. Le Multiple se caractérise par sa nostalgie de l'unité. Il tend nécessairement et naturellement vers l'Un[204], sa „condition de possibilité“. Ce „retour“ est à comprendre dans le sens de la polarisation du Multiple par l'Un, par son „Origine“, son „Principe“, son „Fondement permanent“ qui est aussi ici son „Eschaton“, sa „Patrie“, son

204 Ennéades, V 5, 12.

„Pôle d'attraction". Il implique aussi, du point de vue de l'homme, l'idéal de l'assomption de la différence entre l'individu et l'Un et de la contemplation de l'Esprit par l'âme et par delà l'Esprit, la contemplation ou la vision de l'Un. Ce dernier pouvant positivement être présenté comme *Mawesha* (en Luba) vers qui ou comme la „Beauté" ou „le Bien" vers lequel tend irrésistiblement l'âme.

Mais le langage de Plotin est plus vivant, plus concret, plus riche en images que notre commentaire:

> „Donc, par nature l'âme aime Dieu, à qui elle veut s'unir, comme une vierge aime un père honnête d'un amour honnête; elle arrive à la naissance comme une vierge séduite par une promesse de mariage; ayant passé l'amour d'un être mortel, elle est séparée de son père par la violence ...
>
> ...
>
> Le véritable objet de notre amour est là-bas, et nous pouvons nous unir à lui, ...
> dans cette disposition, elle (l'âme) sait que celui qui donne la vie véritable est là; et elle n'a plus besoin de rien.
> Ici même, l'on peut le voir et se voir soi-même ... on devient ou plutôt l'on est un dieu, embrasé d'amour"[205].

Et pour conclure cette description de la „vision" et de l',„union" de Dieu, Plotin ajoute:

> „Telle est la vie des dieux et des hommes divins et bienheureux; s'affranchir des choses d'ici-bas, s'y déplore, fuir vers lui seul"[206].

205 Ennéades, VI 9, 9.

206 Ennéades, VI 9, 11. Lire de préférence VI 9, 9-11.

Ou

„Il faut fuir vers la radieuse patrie où l'on trouve le père de l'univers et avec lui toutes choses; et pour y fuir, il faut devenir semblable à Dieu. „

Soit dit en passant, nous retrouvons ici un langage tout hymnique:

Nom	**équivalent de**
1° **Dieu** (Générateur/ Père)	*Nṯr-w*^{c} *jrjw sw m-hhw* „Dieu-Un et Unique-Engendreur des millions“
2° **dieux** au pluriel	*nṯrw*-créés (car l'Un est *msjw /jrjw nṯrw* „Engendreur / Créateur des dieux“)
3° **hommes divins**	*m3*^{c}*-ḫrw* „Justes de voix“
4° **bienheureux**	*jm3ḫw* ou *3ḫw* „Glorifiés, Illuminés“

Quant à l'illustration du thème de la „vision“ et de l'aspiration de l'âme vers Dieu ou de l'héliotropie de la création, c'est là un thème fréquent dans les hymnes:

- „les coeurs aspirent à te connaître“[207];
- „Mon coeur (désire) te voir (litt.: mon coeur tend/ aspire à te voir - <j>**jb.j r m33.k**) ... Tu fais qu'on soit rassasié sans qu'on ait à manger; tu fais qu'on soit ivre sans qu'on ait à boire“[208].
- „Mon bonheur est de voir Amon.
- La protection de la vie est à celui qui voit Amon-Rê.

[207] Cf. RuA., p. 198.

[208] Cf. HPEA., n° 71, 6-8; STG., p. 79 note aa.

- Heureux celui qui voit Amon-Rê! ...
- C'est un favori d'Amon celui qui parvient à voir sa face“[209].

Ce *ib.i r m33.k* „mon coeur tend/ aspire à te voir“ (en luba : *Moyo wani ushinga di-ku-muna*) ou *l'epistrophé* est attesté déjà dans Pyr.

Nous songeons ici à ce dialogue de Pyr. 914c-915a:

„Où vas-tu	*sm.k ṯnj?*
Je vais au ciel	*sm.j r pt*
pour voir mon Père	*m33 ... jt.<j>*
pour voir Rê“	*m33 ... Rʿ*[210].

Les vivants sont irrésistiblement tournés vers l'UN, *Sha-Ntu* „Père de l'Être“, *Nina-Ntu, Nun-a-Ntu* ou *Ma-Ntu* „Mère de l'Être(-Créateur de tout ce qui est et de tout ce qui n'est pas)“. Soit dit en passant, *sm* a en Luba non seulement le sens d'aller, mais de s'approcher lentement et sûrement d'un but, de pousser vers le haut:

„Usema kunyi ? / Usema-ku, nkucinyi ?
Ndi sema kuulu / semena Peulu
m-moona Taw ani
m-moona ... DiBa / RʿB3"

Leurs cœurs de tous les vivants, doués de la capacité de la connaissance, aspirent non seulement à le voir (*m33*), mais aussi à le connaître (*rḫ*)[211]:

209 Textes cités par E. DRIOTON, Maximes relatives à l'amour pour les dieux, in Oriens Antiquus, 3 (1959), p. 57-68.

210 La traduction de Sethe est: „Ich gehe zum Himmel, damit ich meinen Vater sehe, damit ich den Re sehe“.

ḥ3tiw ṯmhii rḫ.k[212]	„les cœurs aspirent à te connaître / à ta connaissance“
Prii.i m b3-ʿnḫii	„Que je sorte en qualité de Ba-vivant
m33.i stwt itn.k [213]	afin que je puisse voir les rayons de ton Disque“

Ce dernier extrait est intéressant, car il nous permet de signaler que l'*Un Sha-Ntu*, *Nin-a-Ntu* ou *Mwa-Ntu* est comme le Disque-Solaire, dans sa fonction de Source Inépuisable de la Lumière, de la Chaleur ou de l'Énergie vivifiante.

Sha-Ntu est au-delà du Disque-Solaire, sa première production. Il demeure „Père des Commencements, Créateur de l'œuf du Soleil et de la Lune“[214]. L'homme, la divinité et le reste des êtres issus de l'Être (*Ntu*) fils, fille, émanation de *Sha-Ntu, Maw-, Nun-* ou *Nina-Ntu*, sont habités par une curiosité fondamentale qui fait de leur existence une quête permanente de l'origine, de l'au-delà de l'Être et de l'Existence.

211 *Rḫ* donne en Luba: *Rong, Longa* „étudier, apprendre à connaître“. Il a une connotation d'apprendre, de chercher à découvrir, à connaître.

212 RuA., p. 198.

213 STG., T. 148, 19: *prjj.j m-b3-ᶜnhjj m33.j-stwt-jtn.k* . Sur la vitalité de cette tradition jusqu'à la période grecque, voir aussi E. OTTO, Gott und Mensch, p. 107-108 (25 exemples) et p. 144, ex. 4.

214 Lepsius, Königsb. I; cité selon P. PIERRET, Essai sur la mythologie égyptienne, p. 23.

III.
NÉO-PLATONISME :
MASQUE LEXICAL DE NÉO-THÉBANISME

§ 31. Plotin : Monument du Néo-Thébanisme

Plotin n'est pas Néo-Platonicien. Le néologisme „néoplatonisme" ou „néo-platonicien" datent du 17e et 18e siècles. Il est introduit par des auteurs comme Thomas Gale (1670), Dietrich Tiedemann (1791) et Thomas Taylor (1758-1835). Ils avaient raison compte tenu de leurs connaissances égyptologiques de l'époque. Les disciples de Plotin sont des Plotiniens et non des Néoplatoniciens. D'ailleurs, ils se disent presque tous disciples des philosophes égyptiens.

Expliciter davantage ce qui vient d'être dit nous obligerait à entrer dans les détails et ces derniers nous éloigneraient de l'objet de cet essai.

Notre but n'était pas d'amorcer une systématisation personnelle de la *Conception Plotinienne de l'Un,* mais plutôt de rappeler les éléments de cette hénologie que certains historiens de la philosophie occidentale considèrent comme étrangers à la tradition grecque[1] et de répondre à la question: ***„De quel Orient s'agit-il?"*** Ou quelle est cette région orientale qui aurait développé **une hénologie analogue** et qu'on pourrait considérer à juste titre comme celle qui a **le plus** influencé Plotin?

[1] Lire par exemple E. BREHIER, La philosophie de Plotin, Paris, 3ème éd. 1961; P. AUBENQUE, Plotin und der Neoplatonismus, in: op. cit., p. 210-226.

La comparaison sommaire avec certaines données des *Hymnes Thébains* nous pousse à proposer le lieu où Plotin est né et où il a été formé jusqu'à l'âge de 28 ans, c'est-à-dire la ville égyptienne de Lycopolis / Lupûta/ Asiut (située entre Thèbes et la Cité d'Echnaton = Amarna) ainsi que le lieu de sa formation complémentaire jusqu'à l'âge de ± 40, c'est-à-dire la ville égyptienne d'Alexandrie, comme l'origine de son hénologie.

Certes, cette réponse a été déjà donnée par Frenkian entre 1935-1945. Bien avant ce savant roumain, l'apport égyptien a été souligné e.a. par: F. CUMONT, *Le culte égyptien et le mysticisme de Plotin.* in Monuments Piot, 25 (1921-1922). p. 77-92; J. COCHEZ, *Plotin et les Mystères d'Isis*, in Revue Néo-Scolastique, 18 (1911), p. 328-340; J. GEFFCKEN, *Der Ausgang des griechisch-römischen Heidentums*, Heidelberg, 1920; P. BOYANCE., *Théurgie et téléstique néoplatoniciennes*, in RHR., 147 (1955), p. 189-209; etc.

Contrairement à ceux qui songent aux pays étrangers comme la Perse, la Grèce et l'Inde, pays dans lesquels Plotin n'avait ni vécu ni étudié, Frenkian avait déjà noté, bien avant nous:

> „Mais le grand renversement, dont les premiers siècles d'avant et d'après Jésus-Christ ont été le théâtre, fut causé par un ferment étranger, qui a renouvelé la pensée grecque qui, dans le néo-platonisme de Plotin, a donné à la pensée européenne l'une de ses mélodies les plus émouvantes. **Ce ferment est venu du monde de pensée totalement différente, de l'Egypte des Pharaons**"[2]; „l'élément qui a renversé pour ainsi dire la constitution initiale de la

[2] A.M. FRENKIAN, L'Orient et les origines de l'idéalisme subjectif, p. 149.

pensée grecque et lui a donné une direction nouvelle est **venu d'Egypte et de ses penseurs**"[3].

Les Grecs de la période classique, rappelons-le, ont toujours fait explicitement des emprunts à la pensée et à la culture de la Vallée du Nil. On ne peut donc pas parler d'une pensée grecque pure que l'Egypte n'aurait influencé qu'à l'époque alexandrine.

En outre, la Pensée grecque enseignée s'arrête à Aristote et rare sont des professeurs qui vont jusqu'à Plutarque (mort vers +125). Il est, par conséquent, plus correct de dire que l'élément catalyseur du démarrage de la philosophie gréco-occidentale et le ferment ou l'élément rectificateur qui a renversé la constitution initiale de la pensée euro-chrétienne sont venus tous les deux de l'Afrique et de ses penseurs. Alexandrie est une ville de l'embouchure du Nil, une ville africaine et non une ville de la Grèce. Rappelons que les Grecs parlent plus d'Héliopolis et de Thèbes que d'Alexandrie. Philae, Kom-Ombo, Edfou, Esna, Abydos, *Uputa* ou *Luputa*, … ne sont pas des cités de Rakota, mais des Centres de la Haute-Égypte, voire de la Nubie.

Cet essai nous a permis de mettre en évidence une certaine „intertextualité" (unité thématique, thétique et stylistique) entre Plotin et les auteurs thébains. Nous pouvons poursuivre cette approche et examiner les origines égyptiennes de l'Un chez Parménide ou chez Platon. Mais un tel prolongement ne serait qu'une illustration d'une évidence historique: La Pensée pharaonique n'est pas „totalement *différente*" de la très jeune Pensée grecque qu'elle n'a cessé de nourrir.

[3] A.M. FRENKIAN, L'Orient et les origines de l'idéalisme subjectif, p. 139. L'auteur revient à plusieurs reprises sur ce constat, lire e.a., p. 134 et 140.

L'influence égyptienne est déjà présente chez les pré-platoniciens, chez Pythagore, chez Platon, chez Aristote et chez leurs disciples. Nous avons rencontré pour la première fois la Philosophie Égyptienne de l'Être, de Ce qui est (*Nti*, appelé par le grec **Neith** en langage religieux et *Ontos* en langage ordinaire, même mot et même sens que le *Onto* de Bantu-Tetela) à partir de données de Platon dans *Timaios, Kritias, Politeia,* etc. Le thème „Égypte" se rencontre aussi dans *Nomoi* et dans *Phèdre*. La littérature ou la pensée grecque sans influence égyptienne n'existe pas.

Là-dessus un rappel de la conclusion-introduction de James Freeman Clarke, dans son étude composée en 1868 sous le titre *The Gods of Egypt*, et publiée, en 1899, ensemble avec des essais sur d'autres religions, sous le titre *Ten Great Religions. An Essay in Comparative Theology* :

> „The ancient Egyptians have been the object of interest to the civilized world in all ages; for Egypt was the favorite home of civilization, science, and religion. It was a little country, the gift of the river Nile; a little strip of land not more than seven miles wide, but containing innumerable cities and towns, and in ancient times supporting seven millions of inhabitants. Renowned for its discoveries in art and science, it was the world's university; where Moses and Pythagoras, Herodotus and Plato, all philosophers and lawgivers, went to school. The Egyptians knew the length of the year and the form of the earth; they could calculate eclipses of the sun and moon; were partially acquainted with geometry, music, chemistry, the arts of design, medicine, anatomy, architecture, agriculture, and mining. In architecture,

> in the qualities of grandeur and massive proportions, they are yet to be surpassed"[4].

Nous ne pouvons donc pas faire comme si nous connaissions une période de la philosophie grecque „pure", dénuée de toute influence égyptienne.

Pour revenir aux résultats des recherches historiques et philologiques, signalons que Frenkian ne nie pas les influences venant d'ailleurs, il dit plutôt que:

> „Le plus grand nombre de ces textes sont du IIIe et du IVe siècle après J.-C. **Ici surtout l'élément égyptien est dominant**"[5].

Curieusement, l'élément le plus dominant est le moins étudier.

§ 32. Origine Égyptienne de la Pensée de l'Un selon Jamblique

Bien avant Frenkian, l'auteur qui avait introduit l'Egypte dans l'histoire de l'hénologie et cela sur base d'un survol des doctrines égyptiennes connues à son époque, est sans doute Jamblique.

[4] J.F. CLARKE, *Ten Great Religions. An Essay in Comparative Theology,* Washington, 1899, Chapitre VI. *The Gods of Egypt.* „§ 1. Antiquity and Extent of Egyptian Civilization.", voir le premier paragraphe. Ce texte est accessible Online chez www.gutenberg.net ou http://www.gutenberg.net/1/4/6/7/14674 Les dix (10) Grandes Religions étudiées sont : 1. Confucianisme, 2. Brahmanisme, 3. Buddhisme, 4. Zoroastra et Zend Avesta, 5. Dieux de l'Égypte (Théologie Égypto-Nubienne), 6. Dieux de la Grèce, 7. Religion Romaine, 8. Religion Scandinave et Teutonique (=Germanique), 9. Judaïsme, 10. Islam et 11. Christianisme. L'auteur parle de 10 grandes religions, car son but est de les comparer au et de souligner leur influence sur le christianisme (11). Le fait qu'un auteur compte en 1899 la Religion Égypto-Nubienne parmi les Grandes-Religions et puisse lui accorder une place de toute première importance dans l'Histoire des Religions montre que l'herméneutique raciste et dévalorisante n'a jamais étouffé la Voix de la Raison.

[5] A.M. FRENKIAN, L'Orient et les origines de l'idéalisme subjectif, p. 134.

Le témoignage de Jamblique, rappelons-le, porte aussi bien sur l'existence **des écrits** relatifs à l'Un, sur le conflit des interprétations chez les maîtres égyptiens encore vivants à son époque, et par conséquent à l'époque de Plotin, et enfin sur l'essentiel de cet enseignement:

- „*Avant les êtres véritables et les principes universels il* y *a un dieu qui est l'Un, le Tout-premier même par rapport au Dieu et Roi premier; il demeure immobile dans la solitude de sa singularité* ... "[6].'

- „*Et ainsi c'est tout ce qui est compris depuis le haut jusqu 'aux degrés les plus bas qu'embrasse la doctrine des Egyptiens sur les principes.* ***Elle commence à partir de l'Un et procède jusqu'à la pluralité, les multiples étant à leur tour gouvernés par l'Un*** *et la nature indéterminée partout maîtrisée par une mesure déterminée et par la cause suprême qui unifie toutes choses*"[7].

Plus important, pour nous, c'était le témoignage relatif au débat et à l'enseignement sur ce thème, à son époque:

„*tu veux être instruit de „ce que les Egyptiens regardent comme la cause première:... Je te dirai d'abord pour quelle raison, dans les écrits des anciens scribes sacrés, on trouve rapportées là-dessus bien des opinions diverses, de même que, chez les sages encore vivants, sur les grands sujets la doctrine n'est pas transmise d'une manière uniforme*"[8].

Le traducteur s'est limité aux questions introductives pour s'exclamer: „*Autant de questions plotiniennes*"[9]. Mais les témoignages sur „*les*

[6] JAMBLIQUE. Les mystères d'Egypte, VIII 2, 261-262.

[7] JAMBLIQUE. Les mystères d'Egypte, VIII 3, 264,15 – 265,1-I6.

[8] JAMBLIQUE. Les mystères d'Egypte, VIII 1, 261.

[9] Note du traducteur, dans: JAMBLIQUE. Les mystères d'Egypte, p. 195.

sages encore vivants" ou sur *„les écrits des anciens scribes sacrés" qui rapportent „là-dessus bien des opinions diverses"*, ne le surprennent pas. Il les passe sous silence.

Cet essai nous a montré que les historiens de la philosophie, qui écartent soigneusement „tout ce qui sent *l'égyptophilie"* de leur histoire - et cela pour satisfaire la *„grécomanie"*, la *„grécophilie"* ou l'*hellénomanie* pseudo-scientifique de leur époque-, ont eu tort d'avoir rejeté *a priori,* spéculativement ou gratuitement le témoignage de Jamblique.

L'unité thématique et thétique, voire stylistique entre le HEN ou l'*hénologie* des *Ennéades* de Plotin et le ***W**^a^* (*im-Wa* en Luba ; *m-Oya* en Swahili) ou l'*hénologie* des Hymnes et Prières thébains du Nouvel Empire et du début de la Basse-Epoque est tellement éclatante si bien qu'on peut considérer Plotin comme un des „traducteurs-interprètes" de la Philosophie Thébaine. L'affinité entre la notion de l'Un qui se dégage des *Ennéades* et celle des *Hymnes Thébains* porte sur l'ensemble de thèses essentielles:

- l'Un *„existe avant que rien existe"*[10];
- l'Un est *„séparé"*, *„au-delà"* de tout ou de l'être[11],
- l'Un est ineffable, „*au-delà*" de la connaissance, supérieur à tout, *„trop haut et trop grand"*, *„n'est pas objet de discours ni de science"*[12];
- l'Un existe de lui-même et par lui-même[13], l'Un est l'„*Origine*" ou *„principe de toutes choses"*[14];

10 Ennéades, VI 8, 11.

11 Ennéades, V3, 13; VI 6, 5.

12 Ennéades, V 3, 12-14 et V 5, 6.

13 Ennéades, VI 8, 11-20.

- l'Un est partout, au-dedans des choses et en leur profondeur et tout est en lui et avec lui[15], l'Un est Amorphe et „*Infini*“[16];
- de l'Un procède l'Esprit ou l'Être / Dieu, l'Ame ou la Parole de l'esprit ou encore les âmes (= les dieux) et la Matière;
- l'Un n'est pas lui-même l'être, mais générateur de l'être (lequel est toute chose)[17], c'est-à-dire *Sha-Ntu, Sha-Untu* ou *Maa-Ntu, Nin-a-Ntu, Mwa-Untu*[18];
- l'Un n'est pas „privé de sentiment“, mais il est doué de vie et de pensée[19] et finalement,
- l'Un est le pôle d'attraction de tout, celui vers qui toute âme aspire, veut retourner[20], etc.

A ces éléments, nous pouvons ajouter une série de problèmes que cette Conception de l'Un soulève, entre autres:

- le problème des rapports entre l'Un et Dieu : l'Un est tantôt „au-delà“ de Dieu-Primordial, tantôt synonyme de „Dieu“ Primordial ; tantôt Dieu-créateur-des-dieux et tantôt au-delà du Dieu-créateur-des-dieux[21];

[14] Ennéades, V 2, 1; V 3, 11-15; V 5, 9; III 8, 9; etc.

[15] Ennéades, III 9, 4, V 4, 2, V 5, 1 et 12, VI 4, 7-12; VI 8, 17-18; VI 9, 7; etc.

[16] Ennéades, VI 7, 18; VI 9, 3; V 5, 6; etc.

[17] Ennéades, V 1, /; V 2, 1; VI 8, 16; III 8, 10;etc.

[18] Il est „Père“(*Nsha/ Sha*) et „Mère“ (Maa, Maw, Mwa; Nina). La nuance réside dans le fait que *Nsha* ou *Mwa* ou *Nyina* n'est utilisé que pour dire „père de“ ou „mère de“. C'est un titre qui articule une relation de filiation : „Père de et Mère de l'Être“.

[19] Ennéades, V 4, 2.

[20] Ennéades, V 5, 12; VI 9-11.

[21] La saisie de ce problème passe par l'étude de la notion du „Fils-créé-Créateur de tout“ ou „Fille-créée-Créatrice de tout“.

- le problème de ce que nous appelons la „double différence ontologique“: entre l'Un et l'Être d'une part et entre l'Être et les Étants d'autre part. Nous avons fait remarquer que dans certains passages[22], on a l'impression que l'Un est l'Être des êtres ou des étants-là. Ceci nous renvoie plus à différence ontologique heideggerienne qu'à la double différence de la „méta-ontologie“ pharaonique qui fait de l'Un-amorphe l'„au-delà“ de l'„au-delà“ des étants“ ou le „Méta-'Être-et-Non-Être'“;
- le problème du passage de l'Un au Multiple et du statut ontologique du Multiple: malgré la diversité des métaphores utilisées, ce passage et ce statut restent „obscurs“; ...- etc.

§ 33. Hommage de Frenkian à la Philosophie Égyptienne

Notre frère ou sœur n'est pas celui/celle qui a notre peau, mais celui/celle qui lutte pour la Maât, pour la Vérité-Justice (*T-maâ* > *Ciama, Tiama* et *Meey-m-a-Kulu* de la culture Luba). Dans ce sens, Jamblique le Syrien ou Frenkian le Roumain était notre frère[23].

Frenkian avait prolongé la liste des orientalismes. Il avait attiré l'attention sur le fait que la *Théologie Négative*, les notions plotiniennes de l'*Esprit* et de *Logos* égyptiennes:

„L'idéalisme attique, qui avait construit une réalité primordiale sur le modèle des choses objectives, - les Idées- avait ouvert le chemin à la confusion entre l'esprit et le corps ou la matière, ce

[22] Voir surtout Ennéades, VI, 9.

[23] La plupart des professeurs aux Difficultés Universitaires Africaines de Kinshasa, de Lubumbashi, de Yaoundé, d'Abidjan, de Nairobi, etc. ne sont pas nos frères. Ce sont les ennemis de l'Homme, du Dieu et de la Culture Africains.

que lui reprochera Descartes. C'est aux temps des Alexandrins [= des Égyptiens] que les philosophes grecs sont arrivés à découvrir l'esprit, c'est-à-dire une entité nouvelle, aux lois et aux propriétés tout à fait différentes de celles qu'on observait dans le monde sensible" [24]...

Et plus loin, il ajoute:

„Ainsi donc, l'origine égyptienne de la constatation du phénomène étrange de la parole proférée qui n'amoindrit pas l'être de celui qui la profère, nous semble très probable. C'est par l'observation et la constatation de tels faits que l'on est arrivé, aux temps des Alexandrins à la conception d'une nouvelle catégorie d'être, différent de celle de la matière: on a découvert l'esprit"[25].

Plotin, comme Heinemann l'avait déjà remarqué, ne cite presque jamais ses sources orientales[26], mais la comparaison sommaire esquissée ci-dessus montre que sa Pensée se situe dans la plus belle tradition thébaine et illustre l'importance des recherches sur la Pensée pharaonique en général et sur la Pensée thébaine en particulier pour l'histoire du Néo-Thébanisme, du Néo-Pharaonisme Philoso-

[24] Cf. A.M. FRENKIAN, L'Orient et les origines de l'idéalisme subjectif dans la pensée européenne. I. La doctrine théologique de Memphis (L'inscription du roi Shabaka), Paris, 1946, p. 139. C'est nous qui mettons en italique.

[25] Cf. A.M. FRENKIAN, L'Orient et les origines de l'idéalisme subjectif, p. 146-147.

[26] Cf. F. HEINEMANN, Plotin. Forschungen über die plotinische Frage, Plotins Entwicklung und sein System, 2e éd. revue, Aalen, 1973, p. 40: „Plotin zitiert nie orientalische Quellen; wenn er einmal in V8, 6 die Hieroglyphenschrift seiner ägyptischen Heimat als Beispiel anführt, so geschieht das nur zur Illustration seiner Gedanken".

phique, appelé improprement par certains historiens: néo-platonisme[27].

Les extraits des *Hymnes* thébains précités prouvent la crédibilité des données de Jamblique et corroborent la position de Frenkian[28]. Ce savant roumain, spécialiste de la philologie et de la philosophie grecques, a rendu à la Philosophie Égyptienne un hommage qui mérite notre respect :

> „Mais le grand renversement, dont les premiers siècles d'avant et d'après Jésus-Christ ont été le théâtre, fut causé par un ferment étranger, qui a renouvelé la pensée grecque qui, dans le néo-platonisme de Plotin, a donné à la pensée européenne l'une de ses mélodies les plus émouvantes. Ce ferment est venu du monde de pensée totalement différente, **de l'Egypte des Pharaons**“[29].

Autrement dit, l'Occident est marqué par une philosophie apparemment grecque, mais fondamentalement égyptienne, africaine.

27 Nous faisons nôtre cette recommandation de Heinemann à propos de la recherche sur Plotin et par delà Plotin, sur la Pensée grecque en général. Une telle recherche „dürfte sich nicht auf die griechische Kultur beschränken, sondern mußte auch die außergriechischen, insbesondere die indische, persische, ägyptische, jüdische in den Kreis ihrer Betrachtungen einbeziehen. Eine Weltgeschichte des Geistes müßte sie aufbauen und würde staunend erkennen, welch ein Reichtum der Vergangenheit sich in der Seele Plotins anhäufte“ (F. HEINEMANN, op. cit., p. 3).

28 A.M. FRENKIAN, op. cit., p. 149:; p. 139: „l'élément qui a renversé pour ainsi dire la constitution initiale de la pensée grecque et lui a donné une direction nouvelle ***est venue d'Egypte et de ses penseurs***“. Frenkian revient à plusieurs reprises sur cette thèse. Par exemple, p. 134 et 140. Mis en italique par nous.

29 A.M. FRENKIAN, op. cit., p. 149. Frenkian revient à plusieurs reprises sur cette thèse. Par exemple, p. 134 et 140. Souligné ou mis en italique par nous.

Entre Parménide et Plotin, il y a une mutation génétique. Le génotype n'est plus le même :

> „l'élément qui a renversé pour ainsi dire la constitution initiale de la pensée grecque et lui a donné une direction nouvelle **est venu d'Egypte et de ses penseurs**“[30].

§ 34. Appel aux Universités Occidentologiques Africaines

Cette mise en évidence du rôle de l'Égypte et de ses penseurs par Frenkian prouve, de façon contraignante, qu'il est historiquement faux d'enseigner que les Européens nient la place de la Philosophie Pharaonique dans le Devenir de l'Histoire de la Philosophie Occidentale.

Les professeurs de philosophie et de théologie en Afrique et dans la Diaspora ont le devoir de chercher et de valoriser tout penseur européen qui contribue positivement ou qui a positivement contribué à l'Histoire Africaine de la Pensée. En outre, il est de notre devoir de promouvoir les recherches sur les apports philosophiques et théologiques de l'Afrique ; d'encourager des recherches sur les Sources Grecques et Romaines de la Philosophie Africaine.

Il est anormal d'avoir des Départements qui forment des Grécologues et des Latinistes et de briller par l'absence des publications, voire de simples thèses sur les sources grecques ou grécophones et latines ou latinophones de la Pensée Africaine. On enseigne Origènes, en Afrique, sans enseigner sa *Théologie de la Négritude*. On parle de Plotin en reproduisant le catéchisme de l'Histoire Populaire de la Pensée. L'Histoire de la Philosophie Africaine, enseignée jus-

[30] A.M. FRENKIAN, op. cit., p. 139.

qu'à ce jour, par les Africains, en Afrique et ailleurs, est fausse. Elle est un monument de la paresse intellectuelle.

Presque la totalité des Facultés Occidentales de Théologie et de Philosophie consacrent des cours à la Pensée Égyptienne. Elles partent de l'évidence qu'on ne peut étudier la Bible ou la Pensée grecque sans connaître la Pensée de la Vallée du Nil. Le Biblicum de Rome a un Département d'Études Orientales.

Pendant ce temps, les Africains occidentalisés comme moutons de panurge, suppriment à Kinshasa, par exemple, le *„Faculté de Philosophie et Religions Africaines"* pour le remplacer par le „Faculté de Philosophie". Nous, qui écrivons ces lignes, sommes non pas „Licencié en Philosophie", mais *„Licencié en Philosophie* ***ET Religions Africaines***". Notre particularité sur la carte scientifique mondiale est d'être „Porteur d'une Licence en Religions Africaines". Nous ne pouvons donc pas accepter que les esprits marqués par l'imaginaire leurrant enlèvent de notre Diplôme de Licence, le domaine africain de notre spécialisation : *Religions Africaines.*

Cette formation reçue en Afrique, formation au contenu vérifié auprès de nos peuples, était unique et sans concurrence. C'est justement ce point fort de notre formation, que les Facultés Catholiques de Kinshasa, appelées par notre collègue Prof. Dr. Dr. Onzakom „Difficultés Catholiques de Kinshasa", ont effacé des documents officiels afin de ne pas encombrer l'enseignement anti-nigriste de Kant, Hegel et Heidegger.

On supprime l'étude des *Religions Africaines,* et indirectement celle de la *Philosophie* et de la *Théologie Africaines,* afin de faire de la publicité des pères de l'anti-nigrisme philosophique. Ces Facultés de l'Afrique, mieux ces „Difficultés Universitaires Africaines", n'enseignent ni le Copte ni la Pensée de l'Éthiopie et de la Vallée du Nil. **Elles forment une pseudo-élite, une génération de basse-classe, indifférente à la progression de l'esclavage philosophique, théologique et spirituel.** Elles hypothèquent la Religion, la Théologie, la Philosophie, la Culture et la Vie de tout un Continent contre un salaire de misère et contre le statut de *mBaka,* de *TuBaka* des Négriers et de l'Anti-Nigrisme.

§ 35. Notre apport historique

Pour revenir aux études plotiniennes, retenons que notre propre apport scientifique réside dans l'identification de l'École Pharaonique d'où Plotin a puisé l'essentiel de son enseignement. Les fondements pharaoniques de la Pensée de Plotin et de ses disciples ont été mis en lumière par Frenkian. L'approche synoptique que nous venons d'amorcer nous permet de préciser que Plotin se place dans la tradition de l'„Ecole Thébaine". Sa pensée sur l'Un reprend largement les données de la *Pensée de l'Un explicites dans les Hymnes et Prières Thébains.* Ce positionnement est aussi d'ordre temporel. Notre conclusion veut dire que pour comprendre Plotin, il faut ai préalable étudier en profondeur la Philosophie de l'Un du Nouvel Empire et de la Période Ramesside, donc partir du milieu du –IIe millénaire. Quelqu'un pourrait poursuivre cette étude en comparant les *Ennéades* ou une thèse des Ennéades à celle d'un ou de deux Hymnes. Mais c'est là un travail d'approfondissement et de détails que les futurs philosophes-égyptologues pourront faire.

Du point de vue pédagogique ou méthodologique, on pourrait organiser des débats contradictoires au cours desquels un spécialiste d'une Thèse de la Philosophie Thébaine affronterait un spécialiste d'une Thèse de la Pensée de Plotin. Il est indispensable que le spécialiste de Plotin connaisse les textes thébains et que le spécialiste de la Pensée Thèbaine connaisse les *Ennéades* et les écrits des autres Néo-Thébanistes comme Plutarque, Jamblique, Hermes Trismégiste, etc. Malheureusement, même après 15 ans (1992-2007) de l'ouverture officielle du débat, je suis resté le seul qui remplit jusqu'à présent ce critère.

Historiquement, Plotin a été formé non pas à l'École Thébaine du -IIe millénaire, mais plutôt dans les Écoles Néo-Thébanistes ou Post-Raméssides de *Upuuta* (Lycopolis), d'Abydos, d'Héliopolis, de Saïs, de Naucratis, de Dendera, d'Esna, de Rakota/Lukota, … de son époque, c'est-à-dire du 3ème siècle de notre ère. Ces écoles post-raméssides, dont les maîtres enseignaient encore au +IVe siècle, au temps de Jamblique (mort en +325), ont largement suivi *la Pensée de l'Un du Nouvel Empire* et plus particulièrement celles exposées dans les Hymnes. Cette précision est de rigueur, car il est possible de développer une autre version de l'Hénologie à partir du *Livre des Morts* (TB) ou à partir d'autres documents philosophico-théologiques très tardifs.

Dans ce sens, ce qu'on appelle généralement „néo-platonisme" est, à proprement parler, le ***„Néo-Thébanisme"*** ou le ***„Néo-Pharaonisme Philosophique"***. C'est cette tradition *„Néo-Thébaniste"* de pensuers comme Pot-Amun, Ammonius de Saccas[31], Abammon, Anébon, etc. qui a transmis les thèses principales des Hymnes du Nouvel Empire et de la Basse-Epoque sur *Wʿ-wʿw*, *UmWe-mu-Bu-m-We*

31 En Luba: *Amuna-bi-Saka / Mumuna-biSaka* „Qui voit les paniers" ; *Muman-biSaka* „Qui termine les sacs", „Qui vide les paniers" en les transportant : *Mumemi-a-biSaka / Mwambudi-a-biSaka* „Transporteur de biSaka = paniers, sacs".

„l'Un-qui-est-Unique“, „Unique dans son Unicité“, à la mémoire historique de l'Occident et à la mémoire historique de l'Afrique post-pharaonique.

Nous avons enlevé la partie consacrée au débat sur Plotin : Philosophe Grec ou Philosophe Égyptien, mais nous devons retenir que ni Porphyre, son successeur, ni Jamblique, son deuxième successeur, ne lui accorde aucun droit d'auteur en rapport avec la Pensée de l'Un. Les pères et maîtres de cette Pensée demeurent, d'après ces témoignages, les autres philosophes de l'Égypte.

L'Option Plotinienne pour l'École de Pot-Amun et pour un maître également Égyptien Ammonius de Saccas (*Mumemi-a-biSaka*) peut servir d'exemple pour les jeunes philosophes et théologiens de l'actuelle Basse- et Haute-Éthiopie. Nous avons signalé en passant l'existence d'une parenté genotypique entre la Philosophie Thébaine, la Philosophie Néo-Pharaoniste de Plotin et la Philosophie Bantu Post-pharaonique. C'est une piste que les jeunes philosophes Africains peuvent poursuivre plus tard. Nous n'avons pas non plus exploité les conclusions de nos recherches sur ciKame et ciLuba (Ancien Égyptien et Bantu-Luba), car elles risquaient de changer radicalement les conclusions de 1992. Nous avons cependant étoffé largement l'actuelle version avec des données du Dictionnaire ci-Kam-ciLuba.

Quant à notre objectif du départ, nous croyons avoir introduit le lecteur/ la lectrice aux thèses majeures de la Philosohie de l'École Thébaine. Cette École est restée dans l'ombre jusqu'à ce jour. Les prémisses historiographiques qui poussent beaucoup d'auteurs à se limiter à la comparaison avec les présocratiques ou avec Platon et Aristote et l'initiation presque médiocre à la théologie chrétienne et à l'École de *Rakota/Lukota* alias Alexandrie, ne favorisent pas la mise en évidence des apports de l'École Thébaine. Tout cet essai doit être saisi comme une *Introduction vivante à la Philosophie Thébaine* d'une part et, indirectement, à l'*École Néo-Thébaniste de Rakota/Lukota,* d'autre part.

L'actualité de l'École Thébaine est encore devant nous. Car la puissance de réflexion dans cette tradition est de loin plus forte que celle de Descartes, Kant, Hegel et de tous les autres ~~théo~~logiens ou philo~~sophe~~s post-pharaoniques. Si nous voulons demain faire des progrès sur le plan de la Pensée Philosophique, Théologique, Politique et Écologique, nous devons partir non pas de la Bible ou du Coran, non pas des spéculations de philosophes particulièrement eurocentristes retenus comme classiques, mais plutôt de la Pensée Pharaonique du Nouvel Empire et de la Période Ramesside. Elle représente le plus haut sommet, l'Apogée de la Raison, de l'Illumination Spirituelle de l'Humanité et de *Mrwt n M3ʿt* „Amour de la Vérité-Justice-Solidarité-et-Balance ».

IV. BIBLIOGRAPHIE

ARMSTRONG A.H. & RAVINDRA, R., The Dimensions of Self, Buddhi in the Bagavad-Gita and Psyche in Plotinus, in Religious Studies, 15 (1979), p. 327-342.

ARMSTRONG, H., Plotinus and the India, in CQ., 30 (1936), p. 22-28.

ARMSTRONG, H., Plotinus and the India, in: Plotinian and Christian Studies, Londres, 1979.

ASSMANN, J., Ägyptische Hymnen und Gebete, Zürich-München, 1975 - en sigles: ÄHG.

ASSMANN, J., Die Mosaische Unterscheidung oder Der Preis des Monotheismus, Munich, 2003.

ASSMANN, J., Ma`at. Gerechtigkeit und Unsterblichkeit im alten Ägypten, Munich, 1990.

ASSMANN, J., Ägypten - Theologie und Frömmigkeit einer frühen Hochkultur, Stuttgart, 1984. The Search for God in Ancient Egypt , translated by David Lorton, Cornell University Press, Ithaca, 2001.

ASSMANN, J., Monothéismes de l'Egypte ancienne, in: Naissance de dieu. Enquête sur le monothéisme, Le monde de la bible, 110, April 1998, 22-26.

ASSMANN, J., Mono-, Pan-, and Cosmotheism: Thinking the One in Egyptian Theology, in: ORIENT (The Society for Near Eastern Studies in Japan) XXXIII, 1998, 130-149.

ASSMANN, J., Altägyptische Monotheismen, in: Welt und Umwelt der Bibel 11, 1. Quartal 1999, 20-24.

ASSMANN, J., Hen kai Pan. Ralph Cudworth und die Rehabilitierung der hermetischen Tradition, in: Monika Neugebauer-Wölk (Hg.), Aufklärung und Esoterik, Studien zum achtzehnten Jahrhundert 24, Hamburg 1999, 38-52.

ASSMANN, J., Monotheismus und Kosmotheismus. Altägyptische Formen eines Denkens des Einen und ihre europäische Rezeptionsgeschichte, Heidelberg, 1993.

ASSMANN, J., Re und Amun. Die Krise des polytheistischen Weltbilds im Ägypten der 18.-20. Dynastie (OBO., 51), Fribourg-Göttingen, 1983 - en sigles: RuA.

ASSMANN, J., Sonnenhymnen in thebanischen Gräbern (Theben I), Mainz, 1983 - en sigles: STG.

ASSMANN, J., Zeit und Ewigkeit im Alten Ägypten, Heidelberg, 1975.

AUBENQUE, P., Plotin und der Neoplatonismus, in: F. CHATELET, Geschichte der Philosophie. Bd.I. Die heidnische Philosophie (6.Jh.v.Chr. - 3. Jh.n.Chr.), Frankfurt/M-Berlin-Wien, 1973, p. 210-223.

BARGUET, P., Le Livre des Morts des anciens Égyptiens, Paris, 1967.

BARGUET, P., Les Textes des Sarcophages Égyptiens du Moyen Empire, Paris, 1986 –en sigles: TSE.

BARUCQ, A. & DAUMAS, F. (éd.), Hymnes et Prières de l'Egypte ancienne (LAPO, 10), Paris, 1980 - en sigles: HPEA.

BARUCQ, A., L'expression de la louange divine et de la prière dans la Bible et en Egypte, Le Caire, 1962, p. 181 note 20 (= Brit. Mus. 551, 15).

BEIERWALTES, W., Selbsterkenntnis und Erfahrung der Einheit. Plotins Enneade V 3. Text, Übersetzung, Interpretation, Erläuterung, Frankfurt am Main, 1991.

BEIERWALTES, W., Denken des Einen. Studien zum Neuplatonismus und dessen Wirkungsgeschichte, Frankfurt, 1985.

BEIERWALTES, W., Das wahre Selbst. Studien zu Plotins Begriff des Geistes und des Einen, Frankfurt, 2001.

BICKEL, S., La cosmogonie égyptienne avant le Nouvel Empire, Fribourg-Göttingen, 1995.

BILOLO, M., Les cosmo-théologies philosophiques de l'Egypte antique. Problématique, Prémisses herméneutiques et Problèmes majeurs, Kinshasa-Libreville-Munich, 1988; 2e éd., Paris-Munich, 2003.

BILOLO, M., Les cosmo-théologies philosophiques d'Héliopolis et d'Hermopolis. Essai de thématisation et de systématisation, Kinshasa-Libreville-Munich, 1986; 2e éd., Paris-Munich, 2005.

BILOLO, M., Die Begriffe „Heiliger Geist" und „Dreifaltigkeit Gottes" angesichts der afrikanischen religiösen Überlieferung. In Zeitschrift für Missionswissenschaft und Religionswissenschaft, 68, 1 (1984), p. 1-23.

BILOLO, M., La notion de l'Esprit-Saint et de la trinité face à la Tradition religieuse africaine. In: Credo in Spiritum Sanctum. Atti del Congresso theologico internazionale di Pneumatologia, Vatican City 1983, p. 1437-1453.

BILOLO, M., Le Créateur et la Création dans la Pensée memphite et amarnienne. Approche synoptique du „Document Philosophique de Memphis“ et du „Grand Hymne Théologique“ d'Echnaton, Kinshasa-Libreville-Munich, 1988.

BILOLO, M., *Sha-Ntu* ou Méta-Ontologie Égyptienne -IIIe millénaire, Munich-Paris, 1995; 2e éd. revue, Paris-Munich, 2006. (*Sha-Ntu* est le titre de 2e éd.)

BILOLO, M., La notion de „l'Un“ dans les Ennéades de Plotin et dans les Hymnes thébains. In: D. KESSLERR / R. SCHULZ (Hrsg.), Gedenkschrift für Winfried Barta *htp dj n hzj* (Münchner Ägyptologische Forschung), Frankfurt am Main 1995, p. 67-91.

BILOLO, M., Métaphysique Pharaonique IIIe millénaire av. J.-C., Munich-Kinshasa, 1994; 2e éd., Paris-Munich, 2003.

BREHIER, La philosophie de Plotin, Paris, 1928; 3e éd., Paris, 1961.

BUSSANICH, J., The One and its Relation to Intellect in Plotinus. A Commentary on selected Texts, Leiden, 1988

CLARKE, J.F., *Ten Great Religions. An Essay in Comparative Theology,* Washinghton, 1899. Ce texte est accessible On-line chez http://www.gutenberg.net/1/4/6/7/14674

DAUMAS, F., L'origine égyptienne de la tripartition de l'âme chez Platon, in: Mélanges Adolphe Gutbub, Montpellier, 1984, p. 41-54.

DE BUCK, A., The Egyptian Coffin Texts I-VII, Chicago, 1935-1961 – en sigles: CT. I-VII.

DRIOTON, E., Maximes relatives à l'amour pour les dieux, in Oriens Antiquus, 3 (1959), p. 57-68.

FAULKNER, R.O., The Payrus Bremner-Rhind, Bruxelles, 1933,

FAULKNER, R.O., The Ancient Egyptian Coffin Texts, Vol. I-III, Warminster, 1973-1978.

FOURCHE, T. et MORLIGHEM, H., Une Bible Noire, Bruxelles, 1973.

FRENKIAN, A.M., L'Orient et les origines de l'idéalisme subjectif dans la pensée européenne. I. La doctrine théologique de Memphis (L'inscription du roi Shabaka), Paris, 1946.

FRENKIAN, A.M., Les Origines de la Théologie Négative de Parménide à Plotin, in Revista Clasica (Bucarest), Tome XV (1943), pp. 11-50.

FRENKIAN, A.M., L'enseignement oral dans l'école de Plotin, in Maia 16 (1964), p. 353-366.

FRENKIAN, A.M., Scrieri filosofice; Eds. Gh. Vladutescu & Dinu Grama, Edit. Stiintifica, Bucuresti, 1988, vol. I, pp. 282-409 : „*Plotin et l'Orient*"

GARCÍA BAZÁN, F., Matter in Plotinus and Samkara (Samkara's commentary to the Brahma-Sutra), in Neoplatonism and Indian Thought, 1982, p. 181-207

GARCÍA BAZÁN, F., Neoplatonismo y Vedanta. La doctrina de la materia en Plotino y Shankara [Ilicoo, Coleccio Oriente-Ocidente, 3], Buenos-Aires, 1982

GRAPOW, H., Die Welt vor der Schöpfung, in ZÄS., 67 (1931), p. 37.

HAGER, F.-P., Der Geist und das Eine. Untersuchungen zum Problem der Wesensbestimmung des höchsten Prinzips als Geist oder als Eines in der griechischen Philosophie, Bern - Stuttgart, 1970

HALFWASSER, J., Der Aufstieg zum Einen. Untersuchungen zu Platon und Plotin, op.cit.

HALFWASSER, J., Speusipp und die Unendlichkeit des Einen. Ein neues Speusipp-Testimonium bei Proklos und seine Bedeutung, in Archiv für Geschichte der Philosophie, 74, Heft 11 (1992), p. 43-73

HATAB, L.J., Plotinus and the Upanisads, in Neoplatonism and Indian Thought, 1982, p. 27-43

HEINEMANN, F., Plotin. Forschungen über die plotinische Frage, Plotins Entwicklung und sein System, 2e éd., Aalen, 1973.

HORNUNG, E., Der Eine und die Vielen. Ägyptische Gottesvorstellungen, Darmstadt, 1971.

IAMBLICHUS, *Theurgia or On the Mysteries of Egypt,* transl. By Alexander Wilder, 1911Ce texte est accessible sur Internet: http://www.esotericarchives.com/oracle/iambl_t3.htm

KESSLER, D. & SCHULTZ, R. (Hrsg.), Gedenkschrift für Winfried Barta. Http dj n Hzj, (Münchner Ägyptologische Untersuchungen, Bd. 4), Frankfurt am Main, 1995, pp. 67-91.

KRÄMER, H.J., Der Ursprung der Geistmetaphysik. Untersuchungen zur Geschichte des Platonismus zwischen Platon und Plotin

KRÄMER, H.J., Platonismus und hellenistische Philosophie, Berlin, 1971.

LACOMBE, O., Note sur Plotin et la pensée indienne, in AEHE., V (1950-1951), p. 3-17

LEFEBVRE, G., Grammaire de l'égyptien classique, Paris, 2e éd. revue, 1955, p. 296 § 604)

LOMBARDI, F., Plotino : uno nota sul pensiero indiano e la filosofia occidentale, in Plotino e il neoplatonismo, 1974

MARRUCCHI, P., Influssi indiani nella filosofia di Plotino?, in Atti del XIX congresso orientalisti, 1938, p. 360-394

MAYER, J.R.A. & BAINE, H. R. (ed.), Neoplatonism and Indian Tought, Oxford, new ed.,1992.

MAYER, J.R.A., Neoplatonism and Indian Thought (Sri Garib Dass Oriental S.), State University of New York Press, 1992.

MERLAN, P., From Platonism to Neoplatonism, Den Haag, 1953.

MORENZ, S., La religion égyptienne, Paris, 1977.

NARBONNE, J.-M., Plotin et le problème de la génération de la matière, in Dionysius, 11 (1987), p. 3-31

O'MEARA, D.J., Le problème du discours dur l'indicible chez Plotin, in Revue de Théologie et de Philosophie, 122 (1990), p. 145-156.

OTTO, E., Gott und Mensch nach den ägyptischen Tempelinschriften der griechisch-römischen Zeit, Heidelberg, 1951.

PIERRON, A., Histoire de la littérature grecque, Paris, Hachette, 1875. Accessible sur Internet: ttp://remacle.org/bloodwolf /livres/pierron/chap8.htm#EUN.

PLOTIN, Ennéades. Tomes I-VIII. (Coll. des Universités de France), Ed. Les Belles Lettres, Paris, 1924-1938. Pour le Ennéade VI, nous avons utilisé l'édition en 2 vol. de 1954.

PLOTIN, Geist - Ideen - Freiheit. Enneade V 9 und VI 8, éd. W. Beierwaltes, Hamburg, 1990.

PLOTIN, Seele - Geist - Eines. Enneade IV8, V4, V6 und V3, éd. K. Kremer, Hamburg, 1990

PLOTIN, Über Ewigkeit und Zeit (Enneade III 7). Übersetzt, eingeleitet und kommentiert von Werner Beierwaltes, Frankfurt am Main, 1967.

PLUTARQUE, Isis et Osiris. Traduction, avant-propos, prolégomènes et notes par M. Meunier, Paris, 1974.

PROCLUS, Théologie Platonicienne. Livres I-III. Texte établi et traduit par H.D. Saffrey et L.G. Westerink (Coll. des Universités de France), Paris, 1968.

PRZYLUSKI, J., Les trois hypostases dans l'Inde et à Alexandrie, in AIPhO., 4 (1936), p. 925-933

RIST, J.M., Theos and the One in some Texts of Plotinus, in Mediaeval Studies, 24 (1962), p. 161-180.

SETHE, K., Die altägyptischen Pyramidentexte, Vol. I-IV, Leipzig, 1908-1922; réimpression, Hildesheim, 1960 –en sigles: Pyr.

SETHE, K., Übersetzung und Kommentar zu den altägyptischen Pyramidentexten, 6 vol., Glückstadt, 1935-1962.

SETHE, K., Urkunden des Alten Reiches (Urk. I), 2e éd., Leipzig, 1933.

SETHE, K., Urkunden der 18. Dynastie (Urk. I), 4 vol., Leipzig, 1906-1909.

SETHE, K., Historisch-biographische Urkunden des Mittleren I (Urk. VII), Leipzig, 1935

SETHE, K., Amun und die acht Urgötter von Hermopolis, Berlin, 1929.

ŚWIDERSKI, S., La cosmogonie et l'ontologie selon la religion Bouiti au Gabon, in Journal of Religion in Africa, XIX, 2 (1989), p. 125-145.

SZABÓ, Indische Elemente im plotinischen Neuplatonismus, in Scholastik, 13 (1938), p. 87-96.

TARAN, L., Speusippus of Athens. A critical study with a collection of the related texts and commentary, Leiden, 1981.

TRIPATHI, C.L., The influence of Indian philosophy on Neoplatonism, in Neoplatonism and Indian Thought, 1982, p. 273-292

WALLIS, R.T., Phraseology and Imagery in Plotinus and in Indian Thought (Uttaratantra), in Neoplatonism and Indian Thought, 1982, p. 101-120

WOLF, W., L'hymne à Ptah de Berlin, in ZÄS., 64 (1929), p. 17-44.

WOLFSON, H.A., Albinus and Plotinus on Divine Attributes, in The Harvard Theological Review, 45 (1952), p. 115-130

WOLTERS, A.M., A Survey of Modern Scholarly Opinion on Plotinus and Indian Thought, in Neoplatonism and Indian Thought, 1982, p. 293-308

ZANDEE, J., De Hymnen aan Amon van Papyrus Leiden I 350, Leiden, 1948 - en sigles: AHL.

www.ingramcontent.com/pod-product-compliance
Lightning Source LLC
Chambersburg PA
CBHW071832230426
43672CB00013B/2824
9783931169008